CB047945

ANOS DE CHUMBO

E OUTROS CONTOS

CHICO BUARQUE

ANOS DE CHUMBO

E OUTROS CONTOS

4ª reimpressão

COMPANHIA DAS LETRAS

Sem título, Solange Pessoa, 2008.

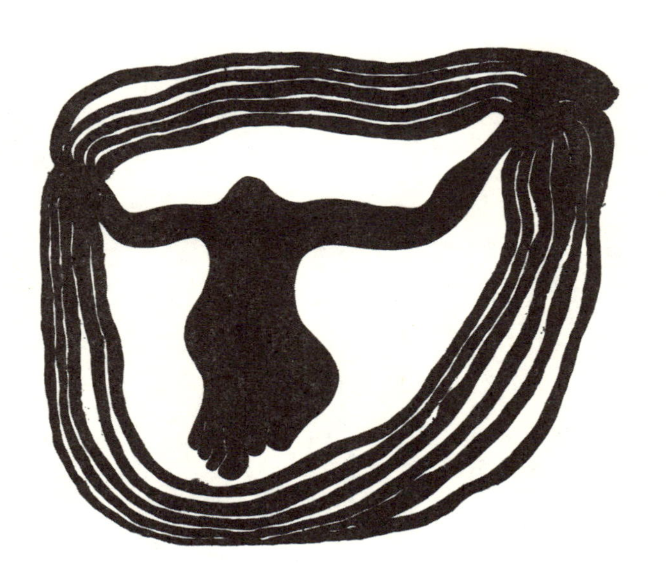

Meu tio
9
O passaporte
23
Os primos de Campos
47
Cida
73
Copacabana
87
Para Clarice Lispector,
com candura
99
O sítio
123
Anos de chumbo
153

Sobre o autor
167

Meu tio

Meu tio veio me buscar em casa com seu carro novo. Ele não costumava subir, mas dessa vez trazia uma encomenda para a minha mãe. Como sempre acontece nessas situações, papai fingiu que estava dormindo no quarto. Mamãe recebeu meu tio com dois beijinhos, ofereceu café, água, pão de queijo, mas lá em casa ele ficava irrequieto, não se instalava. Os beijinhos da chegada já valeram como despedida, e mal tive tempo de catar a bolsa. Meu tio parecia menor sem os óculos escuros, que só tirou para descer os dois lances de escada de lâmpadas quebradas. Reclamou do elevador que vive enguiçado, mas até o fim do ano pretendia nos mudar para um apartamento melhor, num bairro melhor. Minha mãe faria beicinho, pois desde criança a mana era orgulhosa e turrona, mas acabaria por ceder. Meu pai nunca recusaria um upgrade, segundo meu tio, e eu seria a mais felizarda por morar perto da praia.

O carro novo era um SUV Pajero 4×4. Todo branco e grandalhão feito uma ambulância, ocupava a calçada inteira em frente ao meu prédio. Quem quisesse passar por ali tinha que descer para a rua e caminhar uns cinco metros rente ao meio-fio. Por isso, quando nos viram, os passantes mais velhos fizeram cara feia. Meu tio sempre repetia que a inveja é uma merda, mas a meninada da rua admirava verdadeiramente os carros dele, desde o dia em que ele apareceu com um Mini Cooper conversível. Agora eles vinham acompanhando nossa marcha lenta pelas ruas estreitas do bairro. Alguns iam na frente como que abrindo caminho, balizando nossa passagem entre carros velhos e carcaças de carros mal parados nos dois lados da rua. Quando desembocamos na avenida, festejaram com palmadas na carroceria. Mas foi dentro do túnel que meu tio tirou o atraso. Desenvolveu cento e vinte, cento e quarenta por hora, costurando de uma faixa a outra com a mão pesada na buzina. Só largou da buzina ao ar livre, onde ela não surtia tanto efeito.

Meu tio parou para abastecer num posto da Lagoa. Mandou encher o tanque com diesel, depois fechou a janela e ligou o som num volume impressionante. Cada batida do funk era como o coração bombeando forte. Parecia que a massa de ar inflava dentro do carro, a ponto de explodir os vidros blindados. Nesse embalo ele demorou para perceber que o frentista já esperava com a maquininha do cartão de crédito. Tirou do bolso da jaqueta umas notas de cem reais e mandou ele calibrar os pneus e ficar com o troco. Antes de dar a partida, resolveu pedir também uma cerveja e um picolé de uva, meu preferido. O frentista não podia se afastar da bomba, mas com uma nota de cinquenta deu um pulo rapidinho na loja de conveniência.

Na Barra da Tijuca meu tio iria a mil por hora, caso pegasse uma onda verde nos sinais de trânsito. Mas a cada quinhentos metros era obrigado a reduzir a marcha, porque os sinais fechavam um sim um não. Pouco antes da Estátua da Liberdade teve de frear bruscamente. Malabares e vendedores ambulantes ocuparam a faixa de pedestres no instante mesmo em que o sinal fechou para nós. Os moleques armavam pirâmides humanas para exibir seus lances com bolas de tênis. Os marmanjos passavam limpadores no para-brisa ou penduravam sacos de bala no espelho retrovisor. Meu tio fixava os olhos no sinal vermelho enquanto tamborilava no volante para se acalmar. Uma hora ele abanou a cabeça e apontou com o queixo um vendedor de periquitos. Não vai dar tempo, falou. O ambulante vinha atravessando a faixa de um jeito folgado, quase rebolando, com três gaiolas em cada mão. Assim que o sinal abriu, meu tio arrancou com o carro tão bruscamente quanto havia freado. Esbarrou no braço esquerdo do passarinheiro e derrubou umas gaiolas. Ainda olhei para trás imaginando uma revoada de periquitos, mas não aconteceu.

A praia do Grumari no fim da Barra estava superlotada, apesar de ser dia de semana. Meu tio estacionou logo na primeira vaga, sem precisar fazer manobras. Um flanelinha veio avisar que ali era a saída de outros carros, mas ele não deu trela. Fomos sentar numa barraca, onde ele pediu uma cerveja, uma coca-cola e uma dúzia de ostras. Ele tinha me ensinado a gostar de ostras, que eu comia sugando as conchas até o pedúnculo. Insistiu para que eu caísse na água, mas ele mesmo não despia a jaqueta de náilon, com todo o calor. Puxei o vestido pela cabeça e fiquei com o biquíni amarelo que ele tinha me dado de aniversário. Fui dar um mergulho e do meio do mar ouvi uma tremenda zoeira de buzinas. Quando voltei para a barraca vi meu tio lá em cima, andando devagar em direção ao estacionamento. Vi três caras gesticulando contra ele, mas não dava para ouvir o que pareciam gritar. Também não sei o que ele falou quando enfrentou os caras, mas em seguida eles viraram as costas e foram se recolhendo. Meu tio ainda foi atrás deles brandindo o dedo indicador, depois voltou para a barraca e pediu outra cerveja. Sugeriu que eu desse mais um mergulho e me acompanhou até a beira da água, molhando a sola do seu tênis plataforma. Quando saí do mar ele disse que sentiu uma vontade de comer o meu rabinho. Perguntou se eu queria mais alguma coisa, pediu ao barraqueiro um litro de água mineral, acertou as contas e pôs a mão no meu ombro a caminho do carro. A inveja é uma merda, deve ter pensado ao ver os motoristas bloqueados, que aguardavam de cabeça baixa e cara trombuda. Lavei os pés com a água mineral, sacudi a areia do vestido e forrei com ele o assento do carro antes de me acomodar com o biquíni úmido.

Não longe da praia, meu tio entrou numa rua muito desigual. Do lado esquerdo era uma rua residencial, com prédios de quatro andares, garagem, gradil, guarita, porteiro e tudo. O lado direito estava mais para favela, com casas tortas sem reboco e todo tipo de comércio. Na calçada de um boteco as pessoas bebiam cerveja em mesas amarelas de plástico. Foi ali que meu tio encostou e buzinou com cadência. As pessoas se retiraram com cadeiras e mesas, abrindo espaço para meu tio estacionar em cima da calçada. Sem sair do carro, ele recomeçou a buzinar direto, até que do outro lado da rua vieram saindo os peões de uma obra. Eram uma dúzia, e assim de cara parecia que estavam descendo para uma pelada, metade sem camisa e metade com a camisa do Flamengo. O prédio estava em fase de acabamento, com fachada de pastilhas, e se destacava dos vizinhos porque tinha dois andares a mais e avançava quase até o meio-fio. Meu tio saiu do carro e abriu o porta-malas, de onde tirou uma sacola de supermercado. Chamou cada operário pelo nome e distribuiu uns maços de dinheiro que eles pegavam depressa sem agradecer. Meu tio cruzou os braços, enquanto eles contavam as notas, daí subiu no carro e partiu a toda para tomar a avenida principal no sentido da cidade.

No primeiro sinal fechado, uma moto parou à esquerda do carro do meu tio. Era uma moto emproada, e o motociclista media o Pajero de alto a baixo enquanto fazia roncar o motor. Uma hora tive a impressão de que ele me observava, mas o insulfilm no vidro lateral impedia sua visão do interior do carro. Meu tio pegou a tamborilar no volante espiando de lado o motociclista, que era um tipo forte, mais alto até que o nosso carro. Então o motociclista avançou meio metro e agora sim, se quisesse poderia ver minhas pernas pela transparência do vidro da frente. Pelo visor do seu capacete também deu para ver que ele tinha olhos verde-claros. Aí meu tio deu um murro no painel e avançou um metro, invadindo parte da faixa de pedestres. Foi quando o motociclista arrancou com grande ímpeto, sendo o primeiro a ver o sinal abrir. Mas o motor do meu tio era mais potente, e depois de ultrapassar o sinal amarelo seguinte, ele emparelhou a uns duzentos por hora com o motociclista à nossa direita, bem perto de mim. Meu tio passou a encurralar a moto no limite da pista. De repente o motociclista sacou do alforje uma barra de ferro. Deu uma, duas, três bordoadas na capota do carro, mas a quarta caiu no vazio e afetou seu equilíbrio. Com uma rabeada do carro, meu tio acabou de jogar a moto num canteiro. Olhei para trás e vi a moto capotar quatro vezes no gramado, com o motociclista abraçado nela.

Por sorte, logo adiante ficava a concessionária Mitsubishi onde meu tio tinha comprado o carro uma semana antes. Ao saltar, ele foi saudado por um vendedor que usava a máscara da covid. Fez o vendedor largar outro cliente, que parecia interessado num sedan, e lhe mostrou os danos. Com uma cara infeliz, o vendedor passava a mão na capota como que alisando um cavalo. Meu tio precisava de um carro reserva enquanto consertavam o seu. O vendedor pediu um minuto para ver que veículos tinha à disposição, mas o meu tio exigia um carro igual ao dele, como aquele branco da vitrine. Aquele só poderia ser cedido para um test drive, de acordo com o vendedor, no máximo por meia hora. Meu tio levantou a voz, chamou o sujeito de babaca e perguntou pelo gerente. Respirou fundo, me deu duas notas de cem reais e pediu que eu fosse à farmácia ao lado. Não podia ir pessoalmente porque é bastante conhecido no bairro e não ficava bem para ele comprar Viagra num balcão de farmácia. O farmacêutico também usava máscara e vendeu o remédio me estranhando. Os fregueses em volta, mesmo os de máscara, dava para ver que riam de mim. Devem ter pensado que só mesmo uma garota muito suburbana vai às compras de biquíni. De volta à concessionária, encontrei meu tio de conversa com o gerente, que usava uma máscara semelhante a um bico de tucano. O vendedor trouxe o carro que estava em exposição, irmão gêmeo do nosso, sem placa.

Na suíte Premium do motel Dunas, meu tio encomendou um balde de cervejas, uma coca-cola e dois cheesebúrgueres. Ligou a televisão e depois do lanche me mandou tomar banho na jacuzzi. Eu ainda estava me enxugando quando ele me puxou para a cama. Sem tirar os óculos escuros, comeu meu rabinho me mordendo a cabeça. Depois se deitou de lado e passou um bom tempo acariciando meus cabelos lisos que nem os da minha mãe. Daí me contou em segredo seu próximo projeto, que é comprar um avião. Prometeu que eu seria a primeira a voar com ele. Enumerou vários destinos no Nordeste e no exterior, mas sua fala foi ficando devagar até que ele dormiu. Mudei o canal de televisão, do pornô para uma série americana que eu já conhecia mas não recordava bem. Só no terceiro episódio meu tio acordou no susto e berrou comigo porque deixei que ele dormisse até aquela hora. Disse que ia ter problemas em casa, pagou a conta com várias notas de cem, saiu de ré da garagem apertada e raspou o para-lama dianteiro na parede. Como morava ali mesmo na Barra, me fez saltar na avenida e me deu dinheiro de sobra para o táxi.

Em casa mamãe abriu minha bolsa e conferiu a embalagem de Jontex fechada. Disse estar cansada de dizer que, se a mulher não finca pé, homem nenhum usa preservativo. Disse ainda que só me faltava essa de engravidar, pois meu tio é casado e não ia querer encrenca com a esposa. Segundo papai, eu faria um belo de um favor ao meu tio se o livrasse daquela piranha. Fosse como fosse, para minha mãe, meu tio me faria abortar e jamais casaria comigo. Já meu pai garantiu que ninguém me obrigaria a abortar, nem mesmo meu tio com todo o poderio que tem. Mamãe disse que não me criou para lhe dar um neto que é sobrinho ao mesmo tempo. Sem contar que parentes consanguíneos às vezes procriam filhos degenerados. Meu pai falou que não é bem assim.

O passaporte

O grande artista chegou ao Aeroporto Tom Jobim em boa hora com a mala de mão e nada para despachar. Só perdeu algum tempo na polícia, porque havia um problema com o chip do passaporte e foi preciso chamar um supervisor que o liberasse. No saguão foi compelido a seguir pelos meandros do free shop, que ele estava acostumado a atravessar acompanhando o fluxo dos passageiros. Àquela hora da tarde, porém, com poucas partidas internacionais, era escasso o movimento no terminal e redundante a iluminação nas lojas quase às moscas. Pela primeira vez ele reparava no chão espelhado com setas e faixas em diferentes cores e direções, e por um momento se viu desorientado. Depois de entrar por engano numa loja de produtos eletrônicos, sentiu um aperto na bexiga e distinguiu a custo a indicação do WC entre tantos letreiros. No banheiro só havia dois mictórios, ambos ocupados, e o grande artista correu para se aliviar na latrina de uma cabine. Lavou as mãos e retomou seu caminho sem tanta folga de tempo, pois até o portão de embarque, na outra extremidade do aeroporto, era preciso vencer um extenso corredor com uma esteira rolante central. Era uma esteira intermitente de onde a cada cem metros se passava para o piso de granito, como quem salta de um bonde em movimento. A passos largos, ele redobrava a velocidade da esteira, com pressa de se instalar na primeira fileira do avião, sem parar para nada ou ninguém. Uma vez sentado à janela colocaria um ansiolítico debaixo da língua, taparia a cara com a manta, dispensaria a refeição e pegaria no sono tão logo fosse permitido reclinar o encosto da poltrona. Mas foi obrigado a frear atrás de um rapazola e uma garota com mochilas nas costas, parados de mãos dadas no meio da esteira. Poderia pedir licença, mas não queria chamar atenção, nem havia real necessidade de ultrapassar os namorados, que se dirigiam igualmente ao portão de embarque para Paris. Talvez também houvesse em Paris alguém à espera do grande artista, que se enterneceu vendo o rapaz roçar o passaporte novinho em folha na ponta do nariz da garota. Foi aí que teve um sobressalto e começou a se apalpar, embora ciente de que não guardara seus documentos nos bolsos ou na valise. Ainda tinha bem presente a textura de um passaporte em sua mão direita. Podia sentir nos dedos como que o formato dessa lembrança, tão concreta quanto a alça da valise que ele segurava com a mão esquerda. Para um viajante rodado como ele, um passaporte escapar da mão parecia tão improvável quanto a sua mão cair do punho.

Ele não podia adivinhar que naquele instante um curioso abria um passaporte abandonado junto com o cartão de embarque na bancada da pia do banheiro. O indivíduo mal acreditou ao ver no documento o nome e as fuças do grande artista que ele mais detestava. De imediato detestou a ideia de que a celebridade fosse tomar champanhe em Paris, viajando no mesmo avião que ele. Pressentindo que o canalha voltaria ao banheiro a qualquer momento, num reflexo atirou passaporte e cartão na lixeira embutida na pia. As outras três ou quatro pessoas que estavam por perto não haveriam de ter notado seu gesto, pois num banheiro masculino ninguém se olha. Então o indivíduo puxou do toalheiro uma folha de papel-toalha para se assoar com força e a enfiou na lixeira. Não contente, arrancou mais um bocado de papel, protegeu a mão, arregaçou a manga e atochou o lixo no intuito de afundar mais e mais o passaporte. Não se privou de escarrar em cima da maçaroca.

Pelo menos não era longo o trajeto de volta que o artista rastreou cabisbaixo, esquadrinhando o piso de granito e três segmentos de esteira. Na entrada do banheiro teve de se desviar de um sujeito ali plantado, um homem bronzeado dos seus quarenta anos, com jaqueta de camurça e ares de playboy, que o encarou com aquela expressão hostil a que ele vinha se habituando nos últimos tempos. Como o mundo parecia conspirar contra o grande artista, a cabine onde ele havia urinado estava ocupada, tendo do lado de fora um tipo com um crachá do aeroporto. Ele ficou sem entender se era um princípio de fila, haja vista a série de cabines livres ao lado daquela. Daí se virou para a pia onde se lembrava de ter lavado as mãos, e deu com um gorducho de moletom escovando os dentes. De qualquer modo, por cima dos ombros do gorducho pôde ver que não havia sinal do passaporte na bancada. Mas o grande artista persistia na esperança de ter pousado o documento sobre a caixa de descarga da latrina no açodamento de abrir a braguilha. O funcionário do aeroporto empurrou por fim a porta da cabine, assim que soou a descarga, e ajudou a erguer um ancião para acomodá-lo numa cadeira de rodas. O passaporte não estava no cubículo, e sem saber o que fazer, o grande artista se olhou no espelho bem no momento em que estava envelhecendo. Pensou na humilhação de depender de um acompanhante nas próximas viagens, por incapaz de cuidar de seus papéis e se arranjar sozinho. Pensou nos filhos, que mesmo com pena dele, tinham seus próprios filhos e a vida para levar. Pensou nas mulheres que o amaram num passado próximo e que hoje talvez preferissem não ser vistas em sua companhia. Mas ao sair para o saguão atrás do funcionário com o cadeirante, se convenceu de ser um homem de sorte. Deu de barato que alguma boa alma, porventura um passageiro do seu voo que encontrasse o passaporte, o confiaria a um comissário da companhia aérea no portão de embarque.

Tornou a tomar a esteira sem atinar que tinha pela frente uma moça com meia dúzia de sacolas do free shop. Mas apesar da carga e das botas de salto agulha, ela caminhava com desenvoltura, chamando em voz alta um sujeito mais adiante: Amor, Amor. Quando o alcançou, permaneceram empacados na esteira lado a lado, a moça parecendo se explicar e Amor impassível olhando para o infinito. Ele estava evidentemente aborrecido, decerto pela demora dela no free shop, ou pela fortuna gasta em perfumes e cosméticos a caminho de Paris. O grande artista, desinteressado de querelas conjugais, forçou um pigarro para ver se o casal lhe dava passagem. No que o marido olhou para trás brevemente, ele reconheceu o bonitão metido a playboy plantado pouco antes à porta do banheiro. Em vez de avançar alguns metros, o indivíduo falou baixinho no ouvido da mulher, que também deu uma olhadela para trás com o rabo do olho e por pouco não tropeçava na entrepausa da esteira. Agora o grande artista tinha diante de si uma reta sem obstáculos, pois quem estava em cima da hora apertava o passo, com a exceção do playboy bonitão e sua mulher, para quem talvez as portas nunca se fechassem. O artista também já fora um viajante tranquilo, seguro de si, mas naquelas circunstâncias se sentia pessoalmente ameaçado pela voz feminina que anunciava a última chamada para o voo 443 da Air France com destino a Paris. Chegou suado ao portão, onde a fila de embarque minguava, com pouco mais de vinte passageiros. Furou a fila para interrogar em francês a agente de solo da Air France, que lhe respondeu em português que não tinha notícia do passaporte. Talvez a polícia pudesse ajudá-lo, mas a comunicação com a polícia estava temporariamente interrompida. Nisso chegou um carrinho elétrico transportando duas gestantes mais o velhote da cadeira de rodas, e o condutor ofereceu uma carona de volta ao grande artista. Perguntou se era ele mesmo, o grande artista, que imaginava a viajar rodeado de mulheres, assessores e fotógrafos. O carrinho era vagaroso, de marcha única, mas ele não tinha mais ilusões, já antevia seu regresso vexatório para casa. Já se via entrando em casa com o semblante vago, como quem voltasse de uma viagem sem recordações. Daquela jornada talvez se lembrasse apenas da mulher novinha do bonitão, que cutucou o marido e conteve o riso ao ver o artista exposto em carro aberto, percorrendo o corredor vazio na contramão. Solícito, o condutor levou o artista até o ponto de partida e só não o deixou na polícia porque o carrinho não podia circular no free shop. Na polícia informaram que, sempre que lhes chegam às mãos documentos extraviados de um passageiro, anunciam prontamente pelo sistema de som. Mas ele podia se dirigir ao serviço de achados e perdidos, que ficava no outro terminal. Senão, ali mesmo no segundo andar havia um posto de expedição de passaportes, e no prazo de trinta dias o interessado poderia obter uma segunda via. O grande artista caminhou desalentado pelo free shop, rondou a loja onde se perdera, mas nem se deu o trabalho de consultar os vendedores. Voltou ao banheiro, achando por bem urinar antes de pegar um táxi, e passou uma água no rosto suarento. Enxugou-se com o papel-toalha e o largou sobre a bancada, porque a lixeira embutida na pia estava abarrotada.

No canto direito da bancada, a boca da lixeira era um buraco circular com borda de alumínio. Ele observou o monturo de papéis usados, e lhe passou pela cabeça que o seu passaporte poderia estar no fundo daquele poço. Tinha noção de quanto era detestado em certos meios, e não era de admirar que algum canalha chegasse ao ponto de jogar seus pertences no lixo. Mas se enganava o cujo se imaginasse que um grande artista, mesmo na ausência de espectadores, se rebaixaria a fuçar uma lixeira por causa de um passaporte; na verdade, ele já nem se lembrava do que ia fazer em Paris. Por outro lado, o canalha daria gargalhadas se soubesse que os papéis do artista haviam sido encaminhados no saco de lixo a um aterro sanitário a fim de serem triturados, incinerados, ou reciclados para a confecção de novos passaportes destinados a cidadãos decentes. Meio sem se dar conta, o artista já revolvia a superfície da lixeira, com papéis-toalha mais ou menos úmidos. Era óbvio, porém, que o canalha não deixaria o passaporte tão facilmente ao alcance da mão, ele o afundaria mais e mais até onde só um canalha igual a ele pudesse chegar. Pouco a pouco o grande artista foi tomando gosto em infiltrar os dedos por entre substâncias pegajosas, restos de sanduíche, chicletes mascados, e ao enfiar o braço até o cotovelo, tocou uma aresta de papel mais rígido. Não teve dúvida; com o polegar e o indicador içou o cartão de embarque, que trouxe a reboque meio metro de fio dental. Praticamente deitado na pia, imergiu o braço inteiro até as profundezas do saco de lixo, onde em meio a consistências de lodo tateou um papelão acetinado. Sim, tinha alcançado a capa do passaporte, que aparentemente estava aberto e perigava se desfazer, se puxado sob o peso de tamanha imundície. Dragou e jogou fora metade das porcarias para resgatá-lo inteiro, e em ato contínuo quase o devolveu ao lixo. Era como se o passaporte estivesse impregnado não só do ranço dos dejetos, mas do ódio da mão odienta do canalha que o conspurcou. Procurou manuseá-lo como o canalha o haveria feito, na tentativa de compreender a essência mesma da canalhice, e no verso da segunda página deparou com a sua foto besuntada de um muco amarelo-escuro. Semelhava um molho de mostarda ressequido aqui e ali, criando crostas que resistiam à esfrega do papel-toalha. Umedeceu a ponta do papel para remover um a um os sedimentos, com o apuro de um restaurador de obras de arte, mas o retrato que se revelava lhe era estranho; tinha um quê de canalha em suas fuças, tal e qual um canalha o veria. Atordoado, o grande artista se olhou no espelho bem no momento em que se transformava ele próprio num canalha. Ainda tentou recuperar algum traço de simpatia, ou um vestígio de bons sentimentos, para se desculpar com a faxineira que, vindo recolher as lixeiras, o encontrou no meio dos detritos espalhados no chão. No entanto, ser um artista detestável por fora o fazia se sentir intimamente mais limpo; ele às vezes suspeitava que se deixar amar por desconhecidos é uma forma de corrupção passiva. Saiu deixando pegadas até o saguão, onde o alto-falante transmitia um ultimato aos retardatários do voo 443, e sentiu uma ponta de orgulho ao ouvir seu nome infame a ecoar pelo aeroporto. Acenou para o carrinho elétrico, cujo condutor fez que não o conhecia com aquela roupa lambuzada, e revigorado pela execração pública pegou a correr. Correu por dois, como quem foge e quem persegue, correu tão rápido que sob as suas passadas a esteira parecia rolar para trás. Prestes a fechar o atendimento, a agente da Air France fez uma cara enjoada ao receber o passaporte com o cartão de embarque. Destacou o canhoto do cartão seboso e conferiu a foto do passaporte, que custou a devolver porque as páginas grudavam nos seus dedos. Exaurido, o grande artista atravessou a ponte de embarque se arrastando, e na passagem sanfonada para a porta do avião, pensou que a sanfona se dobraria com ele dentro.

Nem bem pisou o carpete do avião, a porta se fechou às suas costas, e ao baque surdo se seguiu a bordo um zum-zum negativo. Sentiu-se um intruso, como se a sua respiração ofegante contaminasse a atmosfera da classe executiva. Ele não se perturbava com os olhares enviesados, mas ver seu assento ocupado por outro passageiro o indignou. O indivíduo usava uma calça creme com vinco, sapato social, tinha jeito de francês e não escutou seus protestos porque estava com fones de ouvido assistindo a um filme. Uma aeromoça fez o grande artista recuar para passar com os casacos e paletós dos passageiros, que pendurou no armário ao lado da porta do banheiro. Na mesma hora saiu do banheiro um comissário de bordo nervoso, ordenando ao recém-chegado que guardasse a valise no bagageiro e se sentasse na poltrona do corredor, pois a aeronave não tardaria a decolar. Mas ele fazia questão da janela, tinha o canhoto do cartão marcado 1-L e quis fazer valer o seu direito, alheio ao burburinho crescente à sua volta. Entretanto o indivíduo que usurpara seu assento, ao ver a mancha úmida e marrom na manga direita do seu suéter branco, lhe cedeu o lugar e se mudou para a poltrona à esquerda, bufando como só os franceses sabem bufar. O artista, porém, continuava irrequieto, e já com o avião em movimento se levantou para buscar a nécessaire na sua valise. Mais assanhado ficou ao avistar na última fileira do seu setor o playboy bonitão e a mulher, que baixaram os olhos e fingiram mexer no celular. Advertido pela aeromoça, voltou a afivelar o cinto e colocou dois ansiolíticos debaixo da língua, o primeiro para baixar ao estado normal, o segundo como tomava normalmente para induzir o sono. Mas assim que o avião levantou voo, apertou o botão de chamada para a aeromoça lhe arranjar um tira-manchas para o seu suéter. Mostrou-lhe a mancha malcheirosa e tentou lhe explicar a procedência, na ânsia de partilhar com alguém a sua saga, mas a história do passaporte na lixeira não soava verossímil em francês. Convencido de que os ansiolíticos não fariam efeito, recorreu a um sonífero hipnótico, um socorro que ele tinha sempre à cabeceira. Dormiu ouvindo o ruído de talheres e louças do jantar, que serviram ainda com o dia claro. Deve ter sonhado com o passaporte, com a degradação a que se sujeitara, com sua mão mergulhada num chorume, deve ter sonhado até com as fuças do seu algoz, e já era noite quando foi despertado pela raiva. A raiva que ele vinha abafando até então retornou em seu pior estágio, o de raiva fermentada. Sentiu que seria inútil tomar outro sedativo, pois para tal veneno não existe antídoto. Ele tinha os olhos escancarados, cegos de raiva, uma raiva cor de mostarda. Quando os fechava, suas córneas queimavam, como se ele tivesse mostarda sob as pálpebras. Lentamente, contudo, suas pupilas foram se ajustando à semiescuridão a bordo, e ele se levantou para circular entre os passageiros adormecidos. Dormiam de bruços, de costas, em posição fetal, de boca aberta, com a cabeça coberta, caminhar entre eles era feito um passeio num necrotério. Foi se postar ao lado da poltrona que vinha mirando, onde o bonitão ressonava com uma expressão plácida, um quase sorriso nos lábios. Alguém diria que ele sonhava peripécias eróticas em Paris com sua mulher jeitosa, que na poltrona ao lado dormia virada para a janela, um pedaço das coxas lisas aparecendo fora da manta. Olhando melhor, porém, não havia lascívia no sorriso dele. O sorriso era só com o canto esquerdo da boca, o típico sorriso de um canalha. Ele sonhava seguramente com o momento em que afundou na lixeira o passaporte de um grande artista. Sonhava e ressonhava a mesma cena dentro de um sono denso, contínuo, de quem nunca precisou de calmantes. Era mesmo um homem que dormia bem, como todo autêntico canalha, e em seu rosto não havia nem sombra de raiva, somente um ódio satisfeito. Assim o artista compreendeu que não passava de um aprendiz de canalha, com sua insônia enraivecida. Havia chegado ali disposto a quebrar os dentes do bonitão, julgando que nada haveria de mais canalha que esmurrar um desafeto dormindo no escuro. Reprimiu a tempo o arroubo estúpido, mas não seu desejo de vingança, e algum instinto o conduziu ao armário onde a aeromoça guardara os agasalhos antes da decolagem. Abriu a portinhola, afastou paletós, jaquetas, blusões e identificou o casaquinho da mulher do bonitão, com seu mosaico de quadradinhos marrons, do mesmo padrão das botas. Ali pegado estava aquela jaqueta de camurça de playboy, e no bolso esquerdo do forro ele encontrou o que queria. Surrupiou o passaporte do canalha-mor e se trancou no banheiro com a gana de um adolescente a ponto de se masturbar. Abriu o passaporte direto na página de identificação, onde constavam os dados biográficos e a foto do bonitão com os olhos muito abertos, como assustado com o que estava para lhe acontecer. Era uma página plastificada, maleável, que em vez de se rasgar esgarçava, dando a impressão de que a cara do bonitão iria se deformar numa careta elástica. Mas de repente, com o auxílio das unhas, conseguiu romper a foto ao meio. Daí em diante foi fácil picar a página em miúdos, e lá se foi para a lixeira a identidade do canalha com seu nome composto, seus quatro sobrenomes, os múltiplos nomes de pai e mãe e sua data de nascimento. Em seguida o artista se entreteve a moer as páginas carimbadas, com entradas e saídas de Paris, Nova Iorque, Roma, Praga, aeroportos do Oriente, todo um passado do playboy globe-trotter atirado na lixeira. Sobrou a capa azul-marinho com o brasão da República, que nem com os dentes ele poderia rasgar. Virou-a do avesso, afundou-a no lixo, mudou de ideia e a buscou de volta para atirar na latrina. A sucção da descarga era violenta, e instantaneamente o artista se sentiu vazio, sem raiva, sem ódio, sem desejo algum, senão o de alcançar sua poltrona e dormir a fundo.

Despertou com os passos dos tripulantes que recolhiam as bandejas do café da manhã. Já se preparava a aterrissagem e a aeromoça retirava os cabides do armário para entregar os casacos a seus donos, entre os quais a famigerada jaqueta de camurça. Restabelecido em sua boa índole, o grande artista chegou a se apiedar do playboy, que seria embarcado no primeiro avião de volta ao Rio. Ao pensar na moça, contudo, ele se viu novamente habitado por um espírito canalha; almejou encontrá-la por acaso, entediada e só, fazendo turismo nas ruas de Paris. O avião ainda taxiava na pista após o pouso e os passageiros já se levantavam, apesar das advertências da aeromoça. O artista apanhou sua valise atento ao bonitão, que vestia a jaqueta em pé enquanto a mulher na poltrona retocava a maquiagem. Logo que os motores se desligaram, foram todos se afunilando à porta de saída, e calhou de o artista ficar bem atrás do casal com suas valises e sacolas de free shop. Foi quando o bonitão se virou para ele de maneira abrupta, com um olhar frontal quase acusatório, e se declarou um grande admirador da sua arte. A mulher também o admirava, e com um sorriso tímido lhe desejou uma boa estada em Paris. Ele os seguiu a curta distância rumo à polícia de imigração e presenciou o momento em que o bonitão deu por falta do seu passaporte: meteu a mão no bolso interno da jaqueta, estacou, começou a se apalpar, e logo se desentendeu com a mulher, que lhe abria sua bolsa quadriculada e dentro dela a carteira de documentos de padrão idêntico. O artista seguiu reto, e da última vez que viu o casal, ela chorava e ele vasculhava valises e sacolas sentado no chão. À frente do artista estavam na fila da polícia os jovens namorados com suas mochilas, que só se desgrudaram diante do guichê, porque não podiam passar pela imigração de mãos dadas. Na cola do artista vinha o seu vizinho de poltrona, que pelo visto não era francês, pois aquela fila era de estrangeiros. Com a calça creme de vincos intactos, trazia um cigarro apagado na boca, na certa fissurado para fumar lá fora. Teria de aguentar um pouco, porque o gendarme implicou com o passaporte do grande artista e chamou um supervisor para o examinar. O supervisor manuseou com desgosto o passaporte melado, provavelmente com a determinação de barrar a entrada do grande artista no país. O artista ainda tentou relatar o episódio da lixeira, da mostarda, do canalha, mas as palavras lhe faltavam em francês. Então começou a se irritar com a impaciência do seu vizinho de assento, que avançara o limite da faixa amarela no chão e bisbilhotava a confabulação dos gendarmes. Desfrutando sua autoridade, o supervisor remanchava a virar e revirar o passaporte, fazendo que não com a cabeça. Olhava o forasteiro, olhava a foto e a cada minuto pedia a opinião do colega, que abanava a cabeça com maior veemência. O artista já se resignava a ser repatriado no mesmo voo do bonitão, quando o chefão buscou uma página em branco, suspirou, bufou e finalmente carimbou o passaporte. Ao partir, o grande artista desejou uma boa estada ao companheiro de viagem, que respondeu com o isqueiro na mão: da próxima vez eu taco fogo.

Os primos de Campos

Não tenho boa memória remota, pouco me lembro da minha primeira infância. Só dou por mim com certa nitidez a partir dos seis, sete anos de idade, quando estou por exemplo na sala de aula, pelejando para aprender o Hino Nacional. Ou talvez seja na sala de casa que toca o hino, e me vejo diante da televisão com meu irmão, minha mãe e outra pessoa, possivelmente algum vizinho. Deve ser Copa do Mundo, de outro modo minha mãe não estaria vendo futebol, e há bandeirolas verde-amarelas em casa e por toda parte. Dois meninos andando em cima de uma superbandeira do

Brasil, pintada no asfalto da nossa rua, eis a primeira recordação que tenho dos meus primos de Campos. Atendendo a quatro toques curtos de buzina, minha mãe desce comigo para recebê-los, e mal dá tempo de ver a cor do carro que os deixou na calçada oposta. Sei de ouvir falar que é usual eles passarem as férias conosco, e não me parece novidade minha mãe se admirar de como o caçula está crescido, ou de como o grandão não corta os cabelos desde o último janeiro. Noutra ocasião vamos buscá-los na rodoviária, e hesito em reconhecer o primo caçula saltando do ônibus, cabeludo e com a roupa que o grandão usava nas férias passadas. Devido aos lapsos entre as férias, minhas lembranças dos primos são fragmentadas, tal como a cada reencontro nosso há sempre um certo desencaixe. Demora dias para perdermos a cerimônia e reatarmos nossas brincadeiras, nossas picuinhas e mesmo nossos pugilatos. Apanho do grandão e bato no caçula regularmente, sendo de idade e tamanho intermediários entre os dois; quando eles brigam entre si, me meto no meio e apanho daqui e de lá. Contudo, o saldo da estada dos primos de Campos é muito positivo, conto os dias para as férias de julho ou de verão a fim de estar de novo com eles. Sobretudo à medida que minha mãe vai nos deixando sair por aí, ciente de que em espaços restritos e abafados como nosso apartamento, brigas de crianças são inevitáveis. Com meu irmão é a mesma coisa, ele nunca me bateu na rua; em casa as surras dele também são de praxe, quanto mais durante as férias. A presença dos primos de Campos irrita meu irmão, que em vez de enfrentá-los, descarrega o mau humor em mim. Entendo o transtorno que é dividir sua cama comigo, mas é minha mãe quem me manda liberar meu quarto para os primos. De qualquer maneira, depois de uns dias acabo por me instalar num colchonete ao pé da cama deles. Às vezes desconfio que meu irmão sente ciúmes de mim, mas tão logo terminam as férias volto a andar na cola dele, que desde pequeno tenho como uma espécie de herói.

Da calçada da praia do Leme vejo meu irmão partir em velocidade com a bola a saltitar dos calcanhares para as coxas, ou de um ombro para o outro, ou equilibrada na cabeça a modo de foca. Recentemente ele até inventou de correr com o corpo todo arqueado para trás, prendendo a pelota com o queixo contra o peito, mas esse lance o juiz impugnou em nome do fair play. No futebol de praia é pecado deixar cair a bola, que a areia fofa amortece, e cansei de ver meu irmão atravessar o campo de gol a gol com tais malabarismos. Só seria possível desarmá-lo apelando para faltas grosseiras, com trancos e empurrões, mas o tronco largo e as coxas musculosas asseguram sua estabilidade. Rasteiras e carrinhos tampouco funcionam, porque seus pés são lépidos e voláteis. Resta o recurso de agarrar meu irmão pelos cabelos, que ele usa compridos para ficar meio argentino, conforme me disse um dia no ônibus. Ele me permite acompanhá-lo na ida e na volta da praia, contanto que eu não me identifique como irmão, pois acha ridículo ter parentes ou namoradas na torcida. Não sei se acredito muito nisso, ele é capaz de ter motivos para se envergonhar de mim ou dos primos. Contra a vontade dele, porém, desde que comecei a sair com os primos, não resisto a levá-los para assistir às partidas de sábado. Meu irmão faz questão de nos ignorar, mas o caçula levanta os braços e grita primão! cada vez que ele passa por nós com a bola em órbita e os cabelos ao vento. Já o grandão garante que um beque de verdade, num jogo oficial, racha o primo pelo meio se ele vier com essas graças.

Os primos insistem que eu passe as próximas férias na sua casa, mas não há jeito de convencerem minha mãe, que é tia torta deles. Por certo ela sabe que em Campos a gente pode zoar à vontade, pois eles não têm mãe que os reprima, e o pai passa um bom tempo embarcado nas plataformas de petróleo. Sempre tive curiosidade de conhecer meu tio, até para fazer uma ideia aproximada da aparência do irmão dele, meu pai. Eu era muito criança quando meu pai sumiu de casa, e em casa seu nome não se pronuncia. Uma única vez ouvi, de um delegado amigo de minha mãe, que o meu irmão tinha a quem puxar no futebol, mas o assunto morreu ali. Se eu forçar a memória mais e mais a fundo, até onde ela encosta na imaginação, procuro meu pai e quando muito consigo enxergar uma sombra. Não uma sombra no chão ou na parede, mas sentada para o jantar, vendo televisão, abrindo a geladeira. Uma sombra avulsa, sem um corpo que a justifique, às vezes eclipsando a minha mãe. Dois anos mais velho que eu, meu irmão é capaz de ter uma imagem paterna mais consistente, mas seu silêncio me passa a impressão de algum ressentimento. Ele tem idade para haver testemunhado eventuais desentendimentos do casal, quando não agressões físicas, e nesse caso é natural que tome as dores da mãe. Não ouso indagá-lo a respeito, mas num dia em que comento no ônibus a iminente chegada dos primos de Campos, ele reage com uma animosidade inesperada. Afirma entre dentes que os primos de Campos são dois filhos de uma puta, nem mais, nem menos. Foi tardia a mudança de voz do meu irmão, e ainda hoje ela falseia, passando do grave ao estridente sem que ele se dê conta. Assim ele declara para todo o ônibus ouvir que o nosso pai teve um rolo com a cunhada, a mãe dos primos de Campos, e com ela sumiu no mundo. Deve ser verdade, porque a história me soa familiar, dessas que crianças captam no ar misteriosamente e guardam para si como coisa roubada. Então percebo que nunca perguntei aos primos pela sua mãe, assim como a ausência do meu pai em casa nunca foi questionada por eles. O que eles têm são tias, muitas tias de que o caçula me fala, e até outro dia eu imaginava uma imensa família de Campos. As tias a quem ele se refere são conhecidas do pai, ora uma vizinha, ora uma paquera, ora uma viúva solitária, que tomam conta dos meninos enquanto ele trabalha nos campos de petróleo. É um estoque de tias, porque depois de abrigá-los uma vez, nenhuma se habilita a repetir a experiência.

Num verão qualquer, sem dinheiro para a condução, a caminho da praia o grandão nos ensina a pular da janela de um ônibus em movimento. Convém que nossa ação seja sincronizada, numa esquina em que o ônibus faz a curva aberta para a esquerda e pende feito uma lancha para a direita, facilitando o salto do caçula. No embalo do salto corremos desembestados até uma transversal mais tranquila, a fim de evitar que algum transeunte nos pare, porque o que não falta por aí é gente com instinto de polícia. Também acontece de um guarda verdadeiro querer nos pegar, mas em geral eles são gordos e não correm muito, com aquela farda e um calor do cão. A operação é tão bem-sucedida que passamos a repeti-la todo dia, no mesmo horário, na mesma esquina e na mesma linha de ônibus, cujo motorista já abana a cabeça ao nos ver subir. Até que um dia, ao dobrarmos a transversal de sempre, uma radiopatrulha nos espreita com dois PMs armados do lado de fora. Somos jogados no banco traseiro do veículo, e no mesmo instante me lembro de quando minha mãe me levou ao médico a fim de me tratar da tal enurese noturna. Meu irmão tinha razão em se revoltar, porque apesar de crescido, quando eu dormia na cama dele molhava o lençol quase toda noite. Agora, o primeiro tapa na cara que levo da polícia não é por causa do ônibus, mas porque o cheiro de mijo infesta a viatura, tal qual se impregnava no colchão do meu irmão. Todo mijado, na delegacia de menores levo outros tapas e pescoções, sem contar as ameaças do xerife, um mastodonte de sunga que é o chefão da cela. O xerife, na língua dos policiais, é o maior arrebentador de pregas dos moleques que baixam no distrito. De volta em casa, é óbvio que não menciono o xerife para minha mãe, mas caio no choro ao contar os tapas que tomei na cara. Quanto aos primos, vi quando ficaram nus e apanharam com barras de ferro na sola dos pés, mas não sei explicar por que não foram soltos comigo; por sorte, minha mãe tem um amigo delegado que vai resgatá-los no dia seguinte. Ela promete não os denunciar ao pai, mas nos deixa de castigo até o fim das férias. Só nos concede sair em sua companhia para o culto dos sábados, bem no horário do campeonato de praia do meu irmão.

Meu irmão desfila pelo apartamento com suas chuteiras fosforescentes, saídas da caixa. O salário de professora não consente à minha mãe extravagâncias nos gastos domésticos, mas ela acabou cedendo aos pedidos do filho. Com certeza ouviu também os argumentos do delegado, que faz bico de caça-talentos para clubes de futebol, e aceitou que o filho sacrificasse os estudos para se dedicar aos treinamentos nas categorias de base do Fluminense. É escusado dizer que meu irmão foi aprovado de cara nos testes, apesar do hábito de jogar descalço e de outros vícios trazidos do futebol de areia. Isso de vícios fica por conta do auxiliar técnico, um ex-zagueiro brucutu que proíbe firulas em campo, em prol de um futebol objetivo e rasteiro, com a bola rolando no gramado em linha reta. Estou reproduzindo ao pé da letra as palavras da minha mãe, que nunca entendeu de futebol e agora pega dois ônibus até Xerém para ver o filho jogar bola no centro de treinamento. Segundo ela, em duas semanas meu irmão se tornou a estrela da equipe juvenil, mesmo abdicando de chapéus e carretilhas para manter rigorosamente a bola no chão. E eis que me é dado ver, da beira do campo de Xerém, a técnica peculiar que ele desenvolveu para penetrar a defesa adversária, que consiste em correr em cima da bola. Pisa a bola com um pé, com o outro toma impulso no chão, sai acelerando que nem um patinador, troca os pés num zás-trás, adquire a velocidade da bola e ninguém o segura nem pelos cabelos, recém-cortados ao estilo reco. Enquanto o caçula exulta com a jogada do primão, o grandão retruca que isso que acabo de contar é cascata, nem um palhaço é capaz de correr em cima de uma bola de futebol. Claro, foi só um sonho que tive de madrugada e imediatamente acordei os dois para relatar. Quanto ao resto, porém, não há nenhum exagero, e de acordo com o delegado o clube vai apresentar uma bela proposta de contrato ao meu irmão, cuja destreza já chama a atenção de agentes estrangeiros. Aí o caçula diz que o namorado da mãe dele, meu pai?, é jogador profissional nas Arábias. Mentira, diz o grandão, verdade, diz o caçula. Não é, é, não é, é, não é, os dois se engalfinham e como de costume sobra para mim.

Meu irmão fecha as malas e comunica à mãe que está de mudança para o alojamento do clube, pois já não suporta a ideia de conviver com o primo. Estranho essa resolução em pleno mês de abril, longe das férias, mas naquela mesma noite o grandão aparece lá em casa e minha mãe já o espera com um prato de sopa. Quando pergunto pelo caçula, ela me arregala os olhos e o grandão paralisa de boca aberta, com a colher de sopa no ar. Disfarço no ato e pergunto pelo enterro do caçula, já relembrando perfeitamente o telefonema de Campos esta manhã: o grito pavoroso da minha mãe, a notícia da chacina, o irmão sobrevivente fugindo da cidade e a urina me escorrendo pela perna. Não é a primeira vez que apago da memória um acontecimento extraordinário, incompreensível, mais ou menos como se esfuma aos poucos um sonho de que acordamos sobressaltados. Foi por isso que comprei um caderno onde registro esses fatos no calor da hora, e ali está a cena narrada pela minha mãe que logo mais darei a ler à minha namorada. Graças a esse tipo de diário ela se aproximou de mim na escola, pois é dada à leitura, pretende estudar letras e jornalismo, se possível escrever roteiros para cinema e televisão. Aprecia meus textos, me corrige, me ensina expressões como "dar a ler", mas tem restrições à forma elíptica como trato certos temas. Vai na certa me pedir mais pormenores da execução do meu primo caçula: o bando de moleques rendidos contra o muro, o número de tiros pelas costas, na cabeça, na nuca, se possível a idade dos garotos, a classe social, a cor da pele etc. Também sentirá falta de um depoimento mais pessoal, em que eu não tenha pudor em retratar o caçula como meu companheiro de infância mais querido e chorar cada porrada que lhe dei em sua curta existência. Procuro partilhar esses sentimentos com o grandão, mas ele passa os dias calado, se não trancado no quarto do meu irmão. Minha namorada tenta reanimá-lo desde o dia em que lhe foi apresentada, chegou mesmo a lhe sugerir que, a meu exemplo, ele mantivesse um diário para anotar as lembranças que o atormentam. Ela diz que escrever também é um modo de esquecer, mas o grandão não é chegado à escrita, mal concluiu o ensino fundamental. Tem dificuldade até para ler o nome do remetente de um envelope enviado pelo correio, que minha mãe lhe entrega com uma careta de desdém. Ele retira do envelope uma foto, que ato contínuo tenta esconder, mal me dando tempo de ver a cara do caçula, pequenino ainda, no colo de uma escurinha que a princípio tomo por uma babá. Nem bem o grandão despedaça a foto, reconstituo na mente a figura daquela mulher e não tenho dúvida de quem se trata.

Uma vez ouvi minha mãe dizer com sarcasmo que devia haver algum problema com a água de Campos, pois os sobrinhos que deixavam o Rio com cabelos meio encaracolados, seis meses depois regressavam com carapinha. Eu, que tenho cabelos bastante crespos, nunca dei muita atenção a essas nuances, a não ser quando o grandão passou a usar dreadlocks. O que de fato me surpreendia num primeiro momento, sempre que eles chegavam para as férias, era vê-los um pouco mais morenos do que eu os recordava. Com os dias, porém, eles como que iam clareando, logo voltavam a ser aos meus olhos aqueles primos caipiras dos velhos tempos, quando aparentemente não existia entre nós diferença de pele. Nunca mais me ocupei disso até ver a foto do caçula no colo da mãe, seus traços tão semelhantes, e sou obrigado a dar razão aos comentários do meu irmão, para quem os primos de Campos são bem mulatos. Mas é lógico que são afrodescendentes, segundo minha namorada, que já publicou no jornal do grêmio estudantil um artigo sobre a negritude. Confesso a mim mesmo que por um instante vacilei, mas agora posso lhe jurar que ter primos-irmãos afrodescendentes é motivo de orgulho para mim. Ela acha graça e diz que não poderia ser de outra maneira, pois em boa medida afrodescendente eu também sou. Não sei, as pessoas costumam dizer que sou a cara do meu irmão, que por sua vez é igual à minha mãe, com seus cabelos lisos e alourados. Já meu pai, nas palavras da minha namorada, não é propriamente um escandinavo, e sei lá de onde ela tirou isso, pois em casa não há nem uma foto dele. Ela pensava que eu fosse filho daquele homem barrigudo, o delegado que não raro janta aqui em casa e se deixa estar até mais tarde. Minha namorada fica com o pé atrás ao saber que minha mãe tem intimidade com gente da polícia, especialmente agora que damos guarida a um fugitivo. Então a tranquilizo como minha mãe me tranquilizou, pois não há lugar onde o grandão possa estar mais protegido; a milícia de Campos não vai querer arrumar encrenca no território da milícia do Rio.

Eu não tinha notícia do meu irmão havia meses, desde que o delegado nos avisou que ele estava aos cuidados do departamento médico do clube. Na época ele não soube ou não quis entrar em detalhes, apenas resmungou qualquer coisa de morcego, e entendi que ele fora mordido por um bicho desses no alojamento. Agora meu irmão reaparece em casa muito acima do peso, puxando de uma perna, caladão, nada a ver com aquele campeão de quem eu tanto falava para a minha namorada. É o delegado quem se lamenta por ele, e parece que o culpado pela sua lesão é mesmo o tal morcego. Se fosse o meu irmão, o delegado acertaria as contas com o morcego, e custei a atinar que esse é o apelido do volante que ceifou sua carreira futebolística. Minha mãe tem orado muito, tem fé em que meu irmão ainda venha a jogar no time principal do Fluminense, mas o delegado, embora religioso como ela, é menos crente. A pedido dele, meu irmão arria as calças e aponta as feias cicatrizes, para mostrar como o crioulo fraturou seus ossos, tendões e ligamentos com uma voadora de dois pés, um golpe conhecido na capoeira como voo do morcego. Certas expressões eram desde sempre tão corriqueiras aos meus ouvidos, que à força do uso meio que perderam o gume. Mas hoje, cada vez que escuto um "crioulo" à mesa de jantar, automaticamente me viro em direção ao meu primo, que volta e meia já está comendo na cozinha. Minha namorada é outra que reagiria a esse vocabulário, mas ela deixou de vir jantar em casa por definitiva incompatibilidade com o delegado. Também perdemos a privacidade para nossas noites de amor, devido ao retorno ao meu quarto do grandão, com quem voltei a alternar cama e colchonete. Costumo namorá-la em casa de tarde, à saída da escola, quando o meu primo vai para o curso supletivo em que ela o matriculou. À noitinha caminhamos de mãos dadas cinco quadras até a entrada do prédio onde mora seu outro namorado. Ela sempre sugere que eu dê uma subida, mas prefiro não ver os dois juntos, mesmo tendo aprendido a não ser possessivo. Compreendo sua afeição por ele, que é um homem mais velho, professor de história e militante de movimentos sociais. É ele quem conta a ela, que por sua vez me conta, dos grupos armados que ao cair da noite saem vestidos de branco em expedições punitivas pelas ruas do bairro. Não conheço bem o professor, que talvez seja chegado a fantasias, ou faça pose de paladino para impressionar a namorada. No entanto, o grandão já tinha me manifestado a intenção de voltar para Campos, onde apesar de tudo se sentirá mais seguro do que aqui. Não descarta sequer atender aos apelos da mãe, que tem lhe escrito seguidamente de um país estrangeiro. Ele me chama a atenção para os sujeitos parrudos que têm frequentado o quarto do meu irmão, apresentados à minha mãe como fisioterapeutas do clube. Diz o grandão que esses tipos o encaram quando cruzam com ele e já nem dissimulam as armas que levam debaixo da camisa. Numa noite agitada, aflito para tirar a coisa a limpo, espero meu primo adormecer e saio ao corredor, divisando a risca de luz por baixo da porta do meu irmão. Não sou mais criança, posso falar com ele de homem para homem, e com essa disposição bato no seu quarto. A porta está trancada, e ao abri-la ele se mostra desapontado por me ver ali, como se esperasse outra pessoa. Está praticamente nu, usa apenas uma sunga, assim como seu amigo, um gigante que bate uma fileira de cocaína na mesa de cabeceira, me lembrando o xerife de uma cela onde estive preso tempos atrás. Meu irmão pergunta o que pretendo ali, mas balbucio alguma coisa que nem eu mesmo entendo. Então ele segura minha cara com as duas mãos, bem a modo de me beijar a boca, depois recua a cabeça e me dá uma cabeçada no nariz. Com gosto de sangue, deixo seu quarto meio às tontas, tateando as paredes do corredor, quase sentindo falta de chorar no regaço da minha mãe. Ouço música vindo do quarto dela, e me surpreende que sua porta também esteja trancada. Ela vem me atender envolta num lençol que deixa à mostra seu colo muito branco e cheio de sardas, tendo ao fundo o delegado debaixo das cobertas, um revólver com o coldre na mesinha de lado. Parecendo encabulada, minha mãe diz que posso perguntar o que bem entender. Olho para um vazio entre eles dois e pergunto se é verdade que meu irmão pertence a uma espécie de clã que sai por aí caçando pretos. A orquestra faz uma pausa no filme épico da televisão, e pela janela se ouve o batuque do terreiro de candomblé, que toda sexta-feira à noite arrepia minha mãe. Em seguida o delegado me diz para deixar de viadagem, pois meu irmão e seus amigos às vezes saem para se divertir como todos os rapazes da sua idade. Com a violência reinante nas ruas, é claro que andam armados, para o caso de defrontarem com delinquentes. Minha mãe assente com a cabeça, mas não sei se acredito muito nisso.

Não faço ideia de qual era a matéria, porque passei a aula inteira absorto em fortes pressentimentos, que se dissipam tão logo soa a campainha. Só ao me levantar, noto a mancha úmida na minha jeans azul-clara, à altura da virilha, semelhante à que se vê nos sovacos de camisas em dias de verão. Saio da sala a me esgueirar e escapo da escola temendo topar com a minha namorada, que com toda a nossa intimidade ainda não sabe dos meus problemas urinários. Já na rua, o calor do meio-dia me permite tirar a camisa, que penduro na frente da calça à maneira de avental para esconder a nódoa. Em casa, vou direto ao quarto a fim de mudar de roupa, e tenho uma visão estranha. Vejo as costas nuas do grandão deitado na cama, acho que vejo os cabelos castanhos da minha namorada, acho que vejo um cotovelo dela, a sola de um pé dela, acho que escuto um sussurro dela, mas torno a fechar a porta sem que eles deem por mim. Vou à cozinha, onde minha mãe tira do forno um bolo de laranja e não repara na minha indumentária. Abro uma cerveja, bebo do gargalo, ouço minha mãe fungar, percebo que está chorando e lhe pergunto se o delegado a magoou, se por acaso ergueu a mão para ela, mas ela soluça e não me responde. Escuto os passos da minha namorada deixando o apartamento e por um triz não me lembro do meu pressentimento na aula de física. A porta do meu quarto ficou aberta, e já do corredor vejo meu primo examinando uma cartolina colorida. É um mapa da América do Sul que minha namorada lhe deu, e ele me aponta um país ao norte do Brasil que julguei ser a Venezuela mas era a Colômbia. É para lá que esta noite ele vai ao encontro da mãe, que lhe remeteu algum dinheiro e a passagem de ônibus. Da sua sacola entreaberta retira um envelope, onde há um recorte de jornal colombiano que ele quer me deixar de lembrança. Nas letras borradas do jornal, como que impressas com excesso de tinta, posso ler um artigo sobre o veterano craque de futebol que veio encerrar sua carreira no Club Deportivo Junior Barranquilla. Trata-se de um autêntico gitano que ainda jovem deixou seu país natal para rodar o mundo, notabilizando-se pelos gols de bicicleta, los balones por alto y el fenomenal control de la pelota. Na foto com a legenda El Malabarista adivinho meu pai numa camisa de listras verticais, com a bola equilibrada na testa. É uma foto meio escura, talvez tirada à contraluz, que mal me permite distinguir suas feições. Mais parece a sombra de um rosto, mas a minha namorada não hesitaria em dizer que se trata de um afrodescendente. Meu primo fecha a sacola, me dá um abraço apertado e diz que apesar de gostar da minha namorada, nunca passou dos limites com ela. Não sei se acredito muito nisso, mas lhe peço que me espere enquanto me lavo, me troco e junto duas mudas de roupa na mochila, meu caderno de notas e só. Na cozinha ele se despede da tia torta, que agora chora francamente, ainda mais quando lhe peço alguma grana, mão-fechada como é. Digo que em último caso o grandão me adiantará o valor da passagem, mas ela já tinha sacado dinheiro no banco, na certeza de que eu partiria com ele. Acaba de fechar uma caixa de papelão com o bolo de laranja, que com jeito cabe na minha mochila, e desce conosco no elevador até a entrada do prédio. Beijo-lhe os olhos e lhe rogo que pare com aquela choradeira, porque mandarei notícias e jamais lhe darei desgosto. No asfalto da rua, olhando bem, dá para vislumbrar os vestígios de uma superbandeira do Brasil. Do Rio a Barranquilla são seis dias de ônibus.

Cida

A Cida morava na praça Antônio Callado, endereço bacana a poucos passos do mar do Leblon. Na época em que eu caminhava no calçadão da praia, me habituei a vê-la duas vezes por dia, na ida e na volta para casa. Era uma mulher até bonita, apesar da pele rude e dos dentes maltratados; tinha entre trinta e quarenta anos e usava roupas de grife ao sol do meio-dia. Eram longos, tailleurs, pantalonas e até uma estola de lebre que as moradoras dos prédios ricos lhe doavam por caridade e por deboche. Também graças à vizinhança ela aproveitava sobras de refeições e tinha um travesseiro para deitar a cabeça no banco de cimento. Em noites de chuva dormia numa guarita abandonada na calçada do canal do Leblon, bem em frente ao seu jardim. E nas águas não muito limpas desse canal fazia suas necessidades, se lavava e lavava suas roupas finas, conforme ouvi dos porteiros dos prédios no entorno. Ao atravessar a praça, no começo eu lhe deixava uma nota de dois reais, o preço de uma água de coco, que ela guardava numa caixa de sapatos sem agradecer nem erguer os olhos. Aumentei o agrado para três, quatro, cinco, mas só a partir dos dez reais ela me deu confiança e me apresentou seu mundo: o pé de feijão, as marias-sem-vergonha, a corrida de formigas. Chamava as formigas pelo número, 106, 132, 443, que era o das linhas de ônibus que paravam do outro lado do pontilhão. Citava o nome dos motoristas e cobradores, os que eram bons, os que eram maus, depois me pedia para lhe trazer de Ipanema um pão doce com creme de baunilha. Vira e mexe perguntava se eu tinha chumbinho para matar pombos, e achando que eu era advogado, queria que eu mandasse para a cadeia uma babá que tinha roubado o seu dinheiro. Um dia desandou a falar da infância, da sua família rica, dos pais que tinham uma fábrica de sabão nos fundos de casa. Queriam que ela se casasse com um português mais rico ainda, um velho coroca, por isso fugiu com um famoso ator de televisão, e mais não me contava porque eu era da polícia.

Por um bom tempo a Cida encasquetou que eu era um agente secreto. Ao me ver chegando ela fugia com a caixa de sapatos debaixo do braço para se esconder atrás dos carros estacionados na praça. Depois passou a me ignorar, largava minhas esmolas jogadas no chão. Foi o período em que deu para se pintar; usava batom, blush, esmalte de unhas, bobes de cabelo, e descolou um balde para escovar os dentes com água do canal. Ao mesmo tempo foi corrigindo a postura acorcundada, a cabeça baixa, o modo de olhar sem ver, e um dia me parou para dizer que, apesar de ser político, eu tinha jeito de bom pai. Eu tinha cara de quem amaria o seu futuro filho, o levaria para morar num apartamento alto e lhe ensinaria bons modos. Expliquei que eu era casado, não podia fazer filho nela, mas não era isso que ela queria. Ela queria que eu criasse o filho que ela trazia na barriga, e bem que eu já a tinha achado meio pançuda. Logo entendi que ela não sabia quem era o pai da criança, e mais uma vez me enganei. O pai da criança era o Ló, que por enquanto não tinha condições de manter um filho no Rio de Janeiro, mesmo com todo o dinheiro que ela lhe adiantava. O Ló não era daqui e achava uma tremenda irresponsabilidade levar uma criança para morar com ele num lugar tão longe. Sugeri que eles refizessem a vida juntos até no Nordeste, se fosse o caso, mas a Cida falou que eu nunca entendia nada. Apontou na direção do céu onde ficava o país do Ló, só que não dava para ver de dia. Não acreditei que a Cida viesse com conversa de extraterrestre, mas segundo ela o Ló vinha realmente de outra constelação, de um tal planeta chamado Labosta. O Ló até lhe ensinava palavras na língua de Labosta, para quando eles finalmente pudessem se estabelecer por lá. Outro dia ele lhe trouxe do planeta um anel de compromisso, para que ela não botasse chifre nele durante suas ausências. As joias que ele lhe dava estavam guardadas na sua caixa de sapatos, que depois de muita relutância e mediante uma nota de cinquenta, ela me abriu. Eu nada disse, mas ela ficou ofendida com a minha cara, que era a cara de quem vê um punhado de areia e brita no fundo de uma caixa. Eu não tinha capacidade para compreender que aquilo eram ouros, pratas, diamantes, tesouros que se desintegravam com a entrada na atmosfera terrestre mas que na subida voltariam ao estado brilhante. Sem ironia lhe perguntei se o Ló também não virava pó com essas viagens intergalácticas, e pela primeira vez a vi sorrir. Disse ela que, como imperador de Labosta, além do sangue azul, o Ló tinha carne de matéria especial e era todo empelicado por fora. Mas como também tinha um coração humilde, quando baixava por aqui fazia uns bicos como servente de obra e dividia com os peões um muquifo na favela.

Não sei se a Cida queria botar chifre no Ló, mas na falta dele foi se apegando a mim. Nem bem eu despontava na praça, ela saltava do banco determinada a me acompanhar nas minhas andanças. Confesso que me dava um pouco de vergonha, porque no calçadão eu sempre topava com conhecidos, e por mais que acelerasse ela emparelhava comigo, com seu vestido de baile, a barriga protuberante e a caixa de sapatos. Então passei a percorrer as ruas interiores, com menos movimento, e de vez em quando ela dava umas paradas para recuperar o fôlego, pedir um pão doce ou olhar as modas nas vitrines. Com receio de que ela me seguisse até em casa, na volta da caminhada eu me sentava a seu lado no banco da praça, onde ela acabava por se recostar e dormir. Sua barriga crescia mais e mais, mas só do lado esquerdo, e quando lhe falei de consultar um médico ela me olhou com uma cara de raiva que eu desconhecia. Era evidente que tinha horror a médicos, talvez tivesse tomado eletrochoques, mas já devia estar no nono mês de gravidez e eu não sabia que providência tomar.

— Cida, precisamos tomar uma providência.

— Como é que é?

— Onde é que você vai dar à luz?

— Como é que é?

— Onde é que você vai parir seu filho?

— Na vagina, né, idiota.

Certa vez andávamos devagar à beira do canal, onde não passava ninguém e já escurecia. No meio da caminhada ela parou e pegou a rir, porque tinha feito xixi sem ter vontade. Levantou a saia para eu ver, mas o líquido nas pernas dela não cheirava a xixi e era esverdeado. Apressei-a para avançarmos mais algumas quadras, pois a nossa rua desembocava quase em frente ao Hospital Miguel Couto. Ao ver o hospital ela deu meia-volta, saiu correndo com aquele barrigão e fez sinal para um ônibus 132, que a recolheu fora do ponto.

Corria o boato de que ela havia parido num ônibus, mas os motoristas do ponto não o confirmavam. Os porteiros, os vigias, as babás, durante muito tempo ninguém mais teve notícias da Cida. E eu quase nem pensava mais nela quando a reencontrei no banco da praça, dando de mamar a uma menina de seus cinco anos, a pele leitosa, os cabelos crespos e ruivos, meio descoloridos, e os olhos azuis claros demais. A Cida me esperava com naturalidade, como se nos tivéssemos visto na véspera, e me apresentou a Sacha, que não largava do seu peito. O vestido de poá sobrava no corpo emagrecido da Cida, seu rosto perdera o viço e o branco dos seus olhos estava de um amarelo-hepatite. Tentei timidamente lhe falar de um amigo clínico geral, mas ela me cortou na hora. Disse que seu leite estava secando, por isso vinha me entregar a filha, como combinado. Ela estava enganada, eu morava sozinho e não daria conta de uma criança. Além do mais, a menina tinha pai e já era a hora de o Ló olhar por ela numa de suas passagens por aqui. Ela defendia o Ló, que fazia questão de dar à filha uma educação de princesa no seu planeta. O problema era que a Sacha não queria morar em Labosta de jeito nenhum, tinha medo de cair daquela altitude. Então a Cida só esperava desmamar a filha para deixá-la aos meus cuidados e partir ao encontro do Ló.

Naquele dia eu estava sem paciência, precisava caminhar para pensar nos meus assuntos, mas quando me despedi com um beijo na sua testa, ela resolveu dizer aos berros que ia dar queixa na polícia. Surgiram os porteiros, as babás, as cozinheiras dos prédios, mais os motoristas e cobradores do ponto de ônibus, e ela dizendo que eu abusava dela desde criança e agora não queria assumir minha filha. Aí perdi a cabeça e falei o que não devia falar, falei que ela era louca. Em seguida pensei que ela fosse me bater na cara, mas não; baixou a cabeça, puxou a filha pela mão, cruzou o pontilhão e embarcou num ônibus 443. Era uma linha circular, e imaginei que a Cida daria voltas e mais voltas na cidade até enjoar. Eu estava disposto a lhe pedir desculpas, quem sabe até ajudá-la a encaminhar a filha para adoção, pois ouvi dizer que há muita demanda para crianças brancas como a dela. Só que não revi a Cida naquele dia, nem no dia seguinte, nem nunca mais.

Com o passar dos anos, por motivos alheios a este relato, deixei de frequentar a praia do Leblon, mas sempre que passava de carro pela praça Antônio Callado, não podia evitar uma olhadela no jardim. Era na verdade um cacoete, pois não havia possibilidade de a Cida voltar a viver ali. A associação de moradores do bairro não queria mais saber de mendigos na rua, e quando necessário acionava a prefeitura, que os recolhia a uns albergues superlotados, quando não mandava a limpeza pública enxotá-los com jatos de água. Até que outro dia, como quem vê um fantasma, avistei a moça albina sentada no banco da praça, num vestido meio roto que eu conhecia no corpo da Cida:

— Sacha.

Ela me olhou com seus olhos transparentes.

— Lembra de mim?

Quase colou o rosto no meu, a fim de me enxergar.

— Sou o amigo da Cida.

Não me reconheceu.

— Cadê sua mãe?

Buscou debaixo do banco a caixa de sapatos da Cida e me mostrou ali dentro um punhado de cinzas:

— Quando ela voltar para Labosta, vai ficar de novo inteira, igual ela era aqui.

Copacabana

Em conversa com Pablo Neruda num hotel da avenida Atlântica, ele me contou que o corpo de Walt Disney estava congelado em local secreto à espera da cura do câncer. Francamente, eu acreditava que Neruda fosse falar de poesia quando me dispus a lhe apresentar a noite de Copacabana. Mas ele parecia cansado de ser Pablo Neruda e, sem paciência para jornalistas e fotógrafos que o aguardavam na calçada da avenida, me pediu para sairmos por uma porta lateral. Era uma porta giratória, o que talvez me tenha desnorteado, pois sem querer o conduzi em direção oposta à beira-mar.

Demos numa parte acanhada do bairro, de onde toda luz parecia sugada para resplandecer na avenida. Parecia um lado avesso de Copacabana, onde os fundos dos prédios ficavam de frente para a rua. Eram prédios cinzentos de doze ou mais andares, em cujas fachadas figuravam janelas de vidro leitoso ou canelado e roupas estendidas à guisa de cortinas. No térreo havia portas de garagem e entradas de serviço, além de botequins pés-sujos onde Neruda deve ter se desgarrado de mim sorrateiramente; em vez de tomar espumantes num terraço da orla, ele era bastante comunista para preferir uma cachaça num balcão sinistro. Rodei à sua procura de bar em bar, mas não havia sombra dele, e a caminhada foi ficando mais difícil à medida que andarilhos e indigentes se deitavam para dormir na calçada. Comecei a me afligir pela sorte do poeta, imaginei um assalto, um sequestro, um golpe do suadouro nas mãos de um proxeneta. Corri ao hotel na vã esperança de que ele tivesse voltado de táxi, e só pensava no que dizer a Jorge

Luis Borges, que me incumbira de ciceronear Pablo Neruda no Rio. É possível que Borges desdenhasse a poesia de Neruda, mas não a ponto de desejar que ele desaparecesse numa cidade violenta como a minha. Agora, seus inimigos peronistas o crucificariam por confiar o poeta a mim, um menino de dezesseis anos. Neruda, de fato, não voltou ao hotel até de manhãzinha, quando adormeci numa poltrona do saguão depois de esperar por ele a noite inteira. Despertei com o dia alto, desconfiando que o passeio com Neruda fora um sonho, quando vi Ava Gardner sair do elevador.

Infelizmente, nunca estive com Neruda nem jamais falei com Borges. Copacabana, essa sim, eu conhecia de ponta a ponta, mas mesmo morando diante do mar, às vezes me sentia contaminado pelo lado sombrio do bairro. Visto de frente, eu era um adolescente de belas cores, o rosto bronzeado e uns olhos claros de fulminar as garotas que mirava na praia. Já minhas costas eram de pobre, apinhadas de cravos, espinhas, quistos e furúnculos que, para além do prejuízo estético, denunciavam minhas práticas masturbatórias. Por um tempo experimentei ir à praia de camisa, mas pegava mal, era traje de suburbano. Então fui me chegando às ruas internas de Copacabana, onde jogava futebol no asfalto com os filhos das empregadas. Ali eu podia andar de torso nu sem constrangimento, pois meus camaradas, com séculos de bordoadas no lombo, talvez não hesitassem em trocar sua pele marrom por uma vermelhenta e sebácea como a minha. De noite, contudo, eu tinha um terno bege para passear na avenida Atlântica, onde os grandes hotéis atraíam jornalistas e fotógrafos ávidos por topar com as estrelas de cinema que na época abundavam por aqui. Pablo Neruda inclusive me contou que, certa vez, Ava Gardner se encantou com o crooner do bar do Copacabana Palace e o convidou a subir à sua suíte. Ao vê-la nua, o sujeito quedou mesmerizado para sempre, levando-a a atirar copos, garrafas, jarros de flores, telefones e cadeiras pela janela. Verídico ou não, foi desse episódio que me lembrei ao ver Ava Gardner sair do elevador. O capitão porteiro nos abriu de par em par a porta nobre da avenida Atlântica, mas Ava Gardner achou excessiva a claridade do dia, mesmo usando óculos escuros. Propôs que fôssemos tomar um martíni ali mesmo, no bar a meia-luz do hotel. Depois de alguns drinques, ela me disse que não queria saber das praias, nem do Pão de Açúcar, muito menos do Cristo Redentor. Antes de deixar o Rio, no entanto, fazia questão de subir ao morro onde rodaram o filme Orfeu Negro, musical a que ela assistira inúmeras vezes. Aproveitei para cantar imitando João Gilberto, o que a levou a me levar pela mão, não à sua suíte como sonhei por um segundo, mas a um conversível rabo de peixe estacionado na avenida Atlântica. No banco traseiro com Ava, sentado com os pés no estofamento, ordenei em inglês ao motorista que nos levasse ao início da avenida, mas ao pé do morro da Babilônia ele vacilou. Disse que além daquele ponto não iria, porque era muito perigoso, e não adiantou a madame lhe acenar com o maço de dólares que trazia na bolsa. As crianças da favela já trepavam no capô do carro quando ela me convocou a acompanhá-la a pé morro acima. Logo os moradores mais crescidos reconheceram a grande estrela, começaram a lhe pedir autógrafos, e naquele empurra-empurra não faltou quem lhe beliscasse e apalpasse a bunda. Foi aí que um valentão numa Harley-Davidson, com ares de chefe do tráfico, dispersou a turba. Quando Ava montou na garupa da moto, lembrei-lhe que ela era casada com o Frank Sinatra. Como não me atendesse, avisei da sua filmagem noturna logo mais, mas o ronco da moto abafou minha voz. Voltei ao hotel sem saber como me explicar ao diretor do filme, John Huston, que deixara Ava Gardner aos meus cuidados. Encontrei-o a beber com o ator Richard Burton na piscina do Copacabana Palace, os dois aparentemente despreocupados com o sumiço da diva problemática. Aliás, já estavam de olho numa substituta, a atriz alemã Romy Schneider, que vi deitada numa espreguiçadeira lendo o roteiro de A Noite do Iguana.

Infelizmente, não tive o prazer de conhecer John Huston nem Richard Burton, ao passo que Romy Schneider nunca foi cogitada para A Noite do Iguana, rodado com Ava Gardner no México. Quanto a Pablo Neruda, morreu doze dias depois do seu amigo Salvador Allende, que se matou para não dar esse gosto a Pinochet. Com o tempo, fui perdendo a inocência de sonhar com artistas, e a vida me levou a paragens distantes de Copacabana. Nas raras ocasiões em que passava pelo bairro, evitava repisar os caminhos da infância, pois tenho a impressão que a nostalgia é um pântano. Relembrar a juventude é como olhar dentro de um poço, e da última vez em que estive numa avenida Atlântica cheia de gente esquisita, minha cabeça rodou e vi tudo preto. Busquei abrigo no Copacabana Palace, onde Pablo Neruda me contou que Romy Schneider também tinha síndrome do pânico. Tudo começou quando ela descobriu que o tio Adolfo, que a sentava no colo e beijava suas bochechas de criança, outro não era senão Adolf Hitler, íntimo de sua mãe. Daí compreendi o ar angustiado com que ela me pediu um cigarro na piscina do hotel. Ficou desolada ao saber que eu não fumava Chesterfield, e o Continental sem filtro que lhe ofereci se molhou com a chuva grossa que só chovia em cima dela. Envolvi-a num roupão felpudo com o monograma do hotel e me enfiei com ela num corredor que desembocou num salão chamado Golden Room. Para minha imensa felicidade, os bacanas pulavam e cantavam a marchinha de Carnaval que traduzi para Romy em alemão: mamãe eu quero, mamãe eu quero, mamãe eu quero mamar. Falei no seu ouvido que a vida é bela, falei que nasci para ser rico, falei para ela esquecer o Alain Delon, e quando ia beijar a sua boca, fui agarrado por dois grandalhões. Disseram que eu não tinha gabarito para frequentar o Golden Room e me atiraram dentro de um elevador com um ascensorista mal-encarado. O elevador desceu a uma velocidade tal que por pouco o estômago não me saía pela boca. Quando a porta se abriu me vi cara a cara com um general de nome basco, Etchegoyen ou Etcheverría, cuja cara não me era estranha. Perguntei-lhe se não nos havíamos deparado quarenta anos antes num quartel, mas ele me informou que tal entrevista se dera com seu tio, que já na época me repreendeu por andar com comunistas. Antes que eu pudesse me defender, ele chamou seu ajudante de ordens, um tipo de bigodinho que me lembrou Walt Disney. Este me levou para um mafuá recém-instalado na praça do Lido, onde eu deveria liberar a criança que, nas palavras dele, ainda pulsava dentro de mim. Fui instado a andar no trem-fantasma, na montanha-russa, no carro de dar trombada, dei voltas na roda-gigante e tive náuseas. Pedi licença para ir embora, mas Walt Disney me apontou um rinque de patinação no gelo, a maior atração do parque. Com efeito, o rinque estava tão lotado que ninguém podia se locomover. As pessoas se acotovelavam olhando para o chão, e havia um corpo no fundo do gelo. Não deu para ver direito, mas acho que era o Pablo Neruda.

Para Clarice Lispector,
com candura

Deixou na portaria de Clarice Lispector uma pasta de plástico azul com um maço de poemas manuscritos, assinados I.J., e um bilhete em que se identificava como filho de Maria Jansen, pintora e professora de artes de quem talvez se lembrasse. Partiu ligeiro, com medo de topar com Clarice Lispector, e pegou um ônibus para a faculdade na Ilha do Governador. De noite, em casa, sua mãe respondeu que não, ninguém tinha ligado para ele, muito menos Clarice Lispector.

No domingo seguinte estremeceu ao ouvir a voz da própria, com seu sotaque estrangeiro, convidando-o para um café segunda à tarde. Ele não contava com um tête-à-tête, teria preferido uma carta comentando os poemas, mas matou a aula para comparecer ao apartamento na hora marcada. Tocou a campainha com suor nas mãos e, mais que frustração, sentiu alívio ao saber pela empregada que Clarice Lispector tinha saído para o cinema. Logo mais à noite custou a reconhecer a mesma empregada, de saia curta e sombra nos olhos, que lhe entregou em casa uma pasta de plástico azul. Pensou que fossem seus poemas rejeitados, mas era um exemplar de A Maçã no Escuro, com dedicatória de Clarice Lispector para o jovem poeta I.J., afetuosamente. A caligrafia vacilante, meio infantil, mais parecia obra da empregada, ditada pela patroa.

Ele sabia de cor cada vírgula dos romances e contos de Clarice Lispector. Poderia ganhar milhões num desses concursos de conhecimentos se a televisão se interessasse por escritores refinados. Já da sua vida privada, do seu modo de ser, sabia o pouco que ela deixava entrever em crônicas de jornal, e foi a mãe quem lhe contou que a letra ruim de Clarice Lispector era consequência de um acidente que quase lhe custou a vida. Contou da noite em que ela dormiu com um cigarro aceso entre os dedos, de como sua cama e seu quarto pegaram fogo, de como foi hospitalizada com queimaduras pelo corpo inteiro, sobretudo na mão direita, que por pouco não lhe amputaram. Depois de meses de internação voltou para casa decidida a se dedicar às artes plásticas e, insatisfeita com as reiteradas experiências autodidáticas, acabou por chamar Maria Jansen para lhe dar aulas. Tinha a intenção de aprender a pintar com a mão esquerda, à maneira do seu íntimo amigo, o poeta e romancista Lúcio Cardoso, que após um derrame cerebral ficou com o lado direito do corpo paralisado. Ou a exemplo de Paul Klee, sugeriu minha mãe, que era escritor destro e pintor canhoto. Foram não mais que três ou quatro aulas, depois ela perdeu a paciência, achou que não levava jeito para a coisa. Ficou de telefonar na outra semana a fim de manter contato, marcar um chá em Copacabana, fazer fofoca, visitar o Museu de Arte Moderna.

Telefonou para a professora agora, com dois anos de atraso, mas era para saber do filho dela, o jovem poeta que a deixara a tarde inteira plantada em casa. Maria Jansen nem sabia que tinha um filho poeta, e lhe passou uma descompostura quando ele chegou da faculdade. Mal o deixou entrar, pois Clarice Lispector estava enfurecida e mandara dizer que só o esperaria até as sete da noite. Ele tomou um táxi e chegou lá em dez minutos, pronto a assumir a culpa pela confusão da agenda dela. Ela mesma abriu a porta e não pareceu enfurecida; tinha a cara sisuda que ele sempre imaginou, mas serena. Ia cumprimentá-la, mas lembrou a tempo que ela provavelmente lhe negaria a mão direita, talvez mole, quebradiça, desagradável ao tato. Ela tomou a iniciativa de beijá-lo nas faces, depois o instalou no sofá de dois lugares, sentando-se na poltrona mais próxima. Na mesa de centro estava o maço de poemas de I.J., aparentemente intacto, além de uma revista Vogue italiana e uma bandeja com bule, açucareiro e três xícaras de café. Para ele uma terceira presença seria bem-vinda, de preferência alguém extrovertido que sentasse ao seu lado, se servisse de café e quebrasse o gelo do silêncio que se fez na sala. Maior que o desconforto de encarar Clarice Lispector em silêncio, sentado rijo na ponta do sofá, era o seu receio de sem querer baixar a vista e visualizar — ela gostava da palavra visualizar — a mão direita dela, sabe lá com que deformações, cicatrizes e enxertos de pele. Ele temia não conseguir disfarçar a repulsa, mas ao mesmo tempo começou a sentir uma curiosidade aflitiva, uma atração vertiginosa pela mão lesada. Tinha certeza de que a qualquer momento, quando ela estivesse distraída, ele não resistiria a espiar de relance aquela mão. Ela talvez o pressentisse, porque de repente levantou o braço esquerdo e consultou ostensivamente seu relógio, fazendo questão de que ele também o visse, como a indicar que o tempo de visita estava esgotado. Mas em ato contínuo desandou a falar de Maria Jansen, de como a conhecera em sua primeira individual, de como era bonito seu último marido, de como gostaria que ela aparecesse mais a miúdo para um café. Falava sempre a fitar os olhos dele, e não passeando os olhos ao redor, como as pessoas costumam fazer quando a mente divaga, buscando uma recordação ou um raciocínio desgarrado. Com esforço ele sustentava o olho a olho com Clarice Lispector, mesmo quando viu de esguelha uma fumaça que subia ao lado dela; por um átimo chegou a imaginar que sua mão queimada ainda fumegasse. Mas só podia ser um cigarro que ela acendera e tragara furtivamente, enquanto o ilusionava com o relógio no pulso esquerdo. E agora levava o cigarro à boca com tal naturalidade, que afinal a mão direita lhe pareceu tão sã e elegante quanto a outra, com a diferença de uns dedos um pouco mais magros e ossudos. E a pele da região parecia apenas ligeiramente escurecida, como se ela costumasse viajar de carro com um braço para fora da janela.

Ela esmagou o cigarro no cinzeiro e se inclinou sobre a mesa, em direção aos manuscritos do jovem poeta. Em vez de apanhá-los, porém, afastou-os a fim de aproximar a bandeja e alcançar o bule, que levantou com a mão direita, firme, sem tremores. Encheu meia xícara, perguntou como ele gostava do café, depois pousou o bule não de volta na bandeja, mas um palmo adiante, bem em cima dos manuscritos; o café, doce demais, estava gelado. Daí a pouco uma onda quebrou no mar, uma vizinha soltou uma gargalhada, um alarme de carro disparou na rua e o toque do sino da igreja do Leme foi a senha para ele se levantar. Alegou necessidade de estudar para uma prova, e ela se espantou que ele cursasse faculdade, pois aparentava no máximo dezesseis, nunca dezenove anos. Se soubesse, teria lhe oferecido um uísque, que ficaria para outra ocasião. Se é que haveria outra ocasião, pois ela sabia o quanto os estudos eram puxados, e aos dezenove ele já devia ter coisas mais interessantes a fazer, como sair com a namorada para um cinema ou um restaurante. Mas também poderia trazer a namorada, que ela gostaria de conhecer, e nem os censuraria se fumassem maconha na sua frente.

Veja lá, disse a mãe com ironia, veja lá se você não está se apaixonando. Ele lhe avisara que talvez se atrasasse para o jantar, porque depois da faculdade ia visitar Clarice Lispector mais uma vez. Veja lá, filho, veja lá porque ela tem uma queda por rapazes frágeis, disse caindo na risada. Para além dos costumeiros deboches da mãe, ele não entendia por que Clarice Lispector desejara um novo encontro se insistia em ignorar seus poemas; na mesa de centro, os manuscritos agora jaziam debaixo de uma dúzia de revistas, ao lado da bandeja de café. Ele nunca o mencionaria, mas já tinha observado como em sua coluna de jornal ela frequentemente felicitava autores desconhecidos que lhe enviavam originais. No mais das vezes, porém, devia se tratar de elogios caridosos, que jamais o enganariam. Em outras crônicas, ela não escondia a vaidade ao ser procurada por jovens leitores que a compreendiam claramente, ali onde alguns críticos profissionais a consideravam hermética. Então ele resolveu falar de sua interpretação pessoal para tal ou qual texto dela, a fim de saber se fazia sentido. Logo se arrependeu, porque Clarice Lispector não parava de se remexer no assento, até que lhe perguntou de supetão: para você o que é o amor? Enquanto ele tentava responder falando para dentro, ela se debruçou sobre a bandeja e lhe serviu meia xícara de café ainda quente mas amargo. Serviu-se ela também, acendeu um cigarro e pegou a leitura mais à mão, uma revista de bordo da Alitalia com mapas do mundo e rotas aéreas. É possível que ela o chamasse em casa por apreciar especialmente o estado contemplativo dele, ao passo que o silêncio dela pouco a pouco ia deixando de intimidá-lo. Ele começava a ficar à vontade para se recostar no sofá e correr os olhos pela sala: o retrato dela por De Chirico, o lustre, a mesa de jantar e, claro, a cadeira de jacarandá e a escrivaninha onde ela devia escrever. Estar em silêncio com Clarice Lispector não diferia muito de ler Clarice Lispector, só era um modo mais intenso de o fazer, para quem como ele tinha os livros dela em permanência na cabeça. Com o anoitecer, sem escutar sua respiração e o folheio de páginas, reparou na poltrona vazia e entendeu que ela o deixara só na sala, se é que não tinha simplesmente saído de casa. Levantou-se, andou de lá para cá na penumbra, chamou baixinho seu nome, espiou a cozinha, o corredor, foi até o hall de entrada, e quando abriu a porta para ir embora, uma ventania escancarou a janela da sala e levantou as cortinas. Como que surgida de trás das cortinas, Clarice Lispector o chamou para ver como era bela a sua fatia de mar por entre as paredes de edifícios. No breu da noite, ele não só viu a espuma branca das ondas, como respirou a maresia combinada com o cheiro de banho dos cabelos dela.

As palavras da mãe volta e meia lhe reverberavam na cabeça, mas ele custava a crer que Clarice Lispector pudesse se envolver a sério com um rapaz que tinha idade para ser seu filho. Até a madrugada em que despertou com seu telefonema; o aparelho tocava na sala, longe da mãe, que só dormia com drogas pesadas.

Clarice Lispector parecia exultante por enfim achar alguém insone igual a ela para conversar às quatro e meia da manhã. Inclusive — ela gostava da palavra inclusive — não era de hoje que pensava em lhe telefonar para contar a novidade: trocara de empregada. Pela primeira vez na vida tinha uma cozinheira de mão-cheia, que sabia até fazer cuscuz, e gostaria de convidá-lo qualquer noite para um jantar a dois, com champanhe e sem hora para terminar. Nos dias seguintes, infelizmente, estaria ocupada a revisar as provas do seu novo romance, que haviam acabado de chegar da gráfica. Houve ainda um quiproquó, pois a editora deu por falta da primeira parte do material enviado, sem atinar que o romance principiava de fato com uma vírgula; mais tarde telefonaram para cobrar a última página, porque o romance terminava com dois-pontos. Não, não se decidira ainda entre dois títulos, só lhe revelava em sigilo que o romance falava de um casal profundamente enamorado, sem pressa de consumar o seu amor. Mas ela queria mesmo era ouvir a sua voz, saber da sua vida, se ele ainda tinha namorada firme, se de vez em quando também se sentia só.

Ele não tinha amigos próximos na faculdade e fora daquele âmbito era invisível: não praticava esportes, não saía com a turma para beber, não participava dos movimentos estudantis. No intervalo das aulas, contudo, a uns poucos conhecidos já mostrara seu exemplar de A Maçã no Escuro autografado pela célebre escritora, que o tratava por poeta. A incrédulos colegas e professores, também se permitira detalhar o apartamento dela, a poltrona onde ela lia, o sofá onde ele se deitava, a máquina de escrever portátil, blocos e tiras de papel, cortinas esvoaçantes, a janela com vista para o mar. Às vezes também descrevia os cabelos dela em desalinho, a boca entreaberta, a blusa decotada, o relógio de prata, eventualmente até falava com ternura da sua mão ferida. O fato é que, de um modo ou de outro, ele começava a ser conhecido entre estudantes de letras como o amante secreto de Clarice Lispector. Alheio a tais rumores, depois do último telefonema ele passou dias e noites em claro, entre a apreensão e a expectativa do convite para o jantar romântico. Transcorrida uma semana, deixou na portaria dela uma carta em que lhe abria o coração: dizia que a ela, e somente a ela, podia confiar seus sentimentos mais íntimos, suas inseguranças, seus pudores, em suma, sua falta de traquejo com mulheres; acreditava, porém, que inspirados em seu novo livro, eles também poderiam ser um casal profundamente enamorado, sem pressa de consumar o seu amor. Numa folha à parte, encaminhou um poema de recente feitura, acreditando que Clarice Lispector, se escrevesse em versos, o assinaria com gosto. Na falta de resposta, dias mais tarde telefonou para ela, que após nove toques atendeu pedindo perdão mas não podia interromper sua tarefa. Seus erres franceses soaram mais ríspidos que o habitual, mas nem por isso ele se acabrunhou; nutria o sonho de um dia ser ele a publicar um livro e imaginava o estado de nervos de quem se confronta com um reles revisor para impor sua sintaxe, sua pontuação peculiar, seu direito de escrever errado. Tornou a ligar na manhã seguinte, mas dessa vez uma empregada com voz vacilante respondeu que a patroa estava de repouso. Ele preferiu deixar passar o fim de semana para telefonar de novo, mas então tocava, tocava, e ninguém mais atendia.

Pediu para Aparecida lhe trazer os esmaltes de unha, que pretendia experimentar em suas telas, agora que voltava a se aventurar na pintura. Era como uma terapia para superar a náusea que sempre se seguia ao desenlace de um trabalho de meses, se não de anos. Ensaiava dessa vez pintar com a mão direita, mas não podia se concentrar em seu labor com um telefone que tocava o dia inteiro; mandou Aparecida tirar o fone do gancho, não tinha condições de atender sequer suas irmãs. Não deu meia hora e o porteiro comunicou a Aparecida pelo interfone que aquele moço branquelo trazia um buquê de rosas para madame. Instruído a deixar as flores na portaria, o moço mandou avisar que o telefone da casa estava com defeito, porque só dava sinal de ocupado. Ver o filho de Maria Jansen parado com rosas vermelhas na calçada oposta ao seu edifício inspirava em Clarice Lispector um vago sentimento de culpa, semelhante ao que lhe dava a visão de crianças dormindo ao relento, ou mendigando à porta dos restaurantes que ela frequentava à beira-mar; se pudesse, alimentaria todas as crianças famintas, abrigaria todas as criaturas abandonadas do Brasil.

Quando começou a chover forte, viu o menino se retirar com as flores e lhe ocorreu telefonar para Maria Jansen, que no dia seguinte retomou as aulas semanais com a antiga aluna. Entre uma e outra pincelada, elas falavam de cinema, das peças em cartaz, de viagens, de moda, um pouco de política, falavam de homens. Relembravam seus casamentos, seus affairs, suas esparrelas, e a sorrir as duas admitiram que já não namoravam, uma porque tinha ficado fria, outra porque estava queimada. Os homens da vida de Clarice Lispector eram agora seus dois filhos, que mais dia menos dia regressariam da temporada que passavam no estrangeiro com o pai diplomata. Outro dia ela até se alvoroçou com a campainha, mas era o entregador da editora com um pacote de livros. Como prova do seu desapego pela própria literatura, os vinte exemplares do seu novo romance permaneceram uma semana empacotados no meio da sala. Só os desembrulhou para dar um presente a Maria Jansen, que gostou menos da capa que do título: Uma Aprendizagem ou o Livro dos Prazeres. Quando a professora pediu que Clarice Lispector o autografasse para o filho, desejosa de fazer uma surpresa ao seu maior fã, ela desconversou, dizendo que a leitura de poesia era essencial para a formação de aspirantes à literatura. Buscou uma primeira edição de Boitempo, de Carlos Drummond de Andrade, que o menino tinha de ler absolutamente, e anexou ao livro um bilhete para o grande poeta, que com certeza lhe faria uma dedicatória caprichada. Carlos inclusive morava a dois passos da casa dele, entre Copacabana e Ipanema, e malgrado a fama de tímido, adorava uma boa prosa e estaria sempre disponível para recebê-lo com uma garrafa de uísque. Quanto aos poemas do filho, mandou Maria Jansen dizer que era melhor ele imitar o que ela própria fez na juventude: queimá-los. Se I.J. quisesse realmente ser poeta, necessitava esquecer Clarice Lispector.

Veja lá, resmunga a mãe, veja lá se você não deixa de novo tudo fora do lugar. Cada vez que ela escuta movimentos na cozinha, já sabe que até para fritar batatas terá de tatear a bancada da pia, gavetas, prateleiras, à procura dos seus utensílios. Irritada, pergunta ao filho quando é que finalmente ele vai tomar tenência e se mudar; com o espólio do pai, recursos não lhe faltam para comprar um bom imóvel. Mas em dez segundos Maria Jansen se enche de remorsos, sabendo que o filho seria incapaz de abandoná-la ao cuidado de estranhos. É ele quem arruma a cama dela, quem a penteia e pinta a raiz dos seus cabelos, quem à noite põe para tocar músicas antigas e se calhar até a tira para dançar na sala. Para o serviço pesado ele atura diaristas e olhe lá, porque não há uma que dê conta da faxina sem mexer nos seus livros e papéis espalhados por todos os cômodos do apartamento. Isso a mãe compreende bem, pois nada a angustia mais do que lhe fugir às mãos algum material indispensável à criação dos seus quadros de arte tátil. Ontem lhe faltaram os frascos de goma-arábica, e não precisou do olfato para intuir que estavam no quarto do filho, que colava recortes no mural dedicado a Clarice Lispector. Nas pausas do trabalho, é esse o único passatempo a que ele se dá, herdado em certa medida do talento pictórico de Maria Jansen. Ela não se cansa de incentivá-lo a espairecer, dar uma volta na praia, respirar os ares do Jardim Botânico, mas ele só sai de casa uma vez por ano, quando leva rosas brancas para Clarice

Lispector no cemitério israelita. A maior parte do tempo passa trancado no quarto diante do computador, onde tem acesso a publicações do mundo inteiro. Nessas horas é que lhe vale seu vasto conhecimento de idiomas, adquirido a partir da necessidade de ler em língua estrangeira as medíocres traduções da obra de Clarice Lispector. Entretanto Maria Jansen daria tudo para voltar ao tempo em que mandava o pirralho desligar a televisão e ir para a cama, pois diante da tela ele agora só depara com desilusão e sofrimento. Há dias em que ele se revolta por não encontrar em jornais e sites uma nota sequer sobre Clarice Lispector. Pior, contudo, é quando proliferam matérias a respeito dela, onde ele sempre esbarra em imprecisões e graves equívocos que o obrigam a se dirigir aos jornais, solicitando retificações em cartas que nunca são publicadas. A esta altura, o nome dele já deve ser familiar nas redações, mas ninguém se lembra de procurá-lo quando se prepara uma reportagem de fôlego sobre Clarice Lispector. Biografias dela são lançadas todo ano, mas em parte alguma haverá menção a quem conviveu com a escritora numa fase em que ela não gozava do prestígio que só fez crescer depois de sua morte. Seu consolo são os poemas em prosa que ele escreve e faz circular na rede com a assinatura dela. Com orgulho incontido divide com a mãe esses escritos e sua repercussão, algumas vezes superior à dos textos autênticos. Mas ele sabe que a mãe não é favorável a suas atividades, o que atribui a ciúmes de Clarice Lispector. Maria Jansen jura que não tem ciúme algum, só lamenta que por amor àquela mulher ele tenha desperdiçado a beleza e o vigor da juventude. Antes de completar setenta anos, porém, ele ainda está em tempo de encontrar uma mulher nova que oxalá lhe dê um ou dois filhos. Poderia morar com toda a família naquele amplo apartamento, e nem a cegueira a impediria de olhar pelos netos e vigiar a nora. Se fosse o caso, Maria Jansen até faria gosto em receber em casa um homem como companheiro do seu filho, com direito à adoção de um casal de gêmeos. Vá à merda, mãe, reage o filho, numa rara quebra do linguajar escorreito de Clarice Lispector. Vá se foder, diz entre dentes para divertimento da mãe, que se gaba de ser uma mulher moderna aos noventa e tantos anos. Pode ser imaginação, ou mesmo audição excessiva, mas em certas noites Maria Jansen suspeita de estranhos ruídos no quarto dele. Ultimamente deu para despertar com uns farfalhares de seda e quem sabe uns passos de salto fino no assoalho. Veja lá, filho, ela diz, veja lá se não vai para a rua vestido de Clarice Lispector.

O sítio

Era grande a possibilidade de dar tudo errado, mas ela disse que eu não tinha nada a perder. Disse que nada nos ligava, nem filhos, nem propriedades, nem sentimentos, nem sequer amigos em comum; se amanhã eu lhe servisse vodca com estricnina, seria um crime perfeito. Nosso passado em comum datava de uma semana, desde a noite em que falamos de tudo num bar às moscas na Lapa e mais ou menos nos entendemos. Foi ela quem me fez subir à sua casa, onde apesar de meio bêbados, também na cama nos entendemos mais ou menos. Na manhã seguinte ela já tinha escolhido a casa, na verdade um sítio na

Mantiqueira, lá para os lados de Santa Gláfira. Rico não sou, mas ela, além de seus proventos como artista, tinha dinheiro de família e propôs racharmos o aluguel, que a julgar pelas fotos me pareceu até barato. Pensei que fôssemos ficar com o sítio por quatro ou cinco semanas no máximo, pois tudo indicava que a peste estaria sob controle ainda naquele outono. Fora que viver a dois por um tempo mais longo, para um solteirão citadino como eu, soava tão aventuroso quanto me embrenhar na selva escura. Quando vi, ela já havia fechado com a imobiliária por três meses, com fiança do pai e renovação automática salvo contra-aviso.

Ela preferiu dirigir seu carro, mais potente que o meu e com porta-malas espaçoso. Foram duas horas e meia do Rio a Santa Gláfira, mais boa parte da estrada vicinal para Ribamonte e dez quilômetros em terra batida até um vilarejo chamado Moisés. Ali nos abastecemos de produtos frescos, pois o grosso dos mantimentos já abarrotava o banco traseiro. O dono da venda confirmou a direção do Sítio Madrigal no alto de um penhasco e se preocupou em saber se o carro tinha tração nas quatro rodas. Os mapas não levavam em conta a topografia e as fotos do anúncio escamoteavam o acesso ao sítio. A estrada era um caminho pedregoso, com passagem para um carro só. O para-choque e o chassi raspavam o barro da saliência central, vulgo facão, e a minha amiga achava graça em tudo. Quanto mais subíamos a escarpa da montanha, mais a estrada descaía para fora, e numa curva semelhante à de um velódromo, com o carro inclinado a ponto de capotar num precipício, ela resolveu estacionar. Se ela quisesse desistir não haveria espaço para manobras, e não acreditei que fosse louca de descer de ré. Mas ela estava era extasiada com a paisagem, e fez questão de nos fotografar com uma cachoeira ao fundo. A partir dali cessaram as curvas e ela empreendeu a subida por um atalho quase vertical, desbastando um matagal da altura do capô. Ao alcançarmos um platô, vislumbramos nosso chalé entre dois flamboyants, sem a floração primaveril do anúncio e com o gramado inglês que o circundava transformado numa extensão do matagal da estrada. Tinha sido combinado que um caseiro nos receberia, mas o portão de madeira estava fechado e ela buzinava sem sucesso. Então saltou do carro e saiu andando de um lado para outro com o celular no ouvido. Pretendia ligar para a imobiliária, mas o telefone não dava sinal e ela festejou: estávamos isolados do mundo.

Não havia cadeado, e de tanto forçar a taramela acabei derrubando as duas bandas do portão. Como consequência, um cachorro preto surgiu do nada e veio a galope me mirando com olhos sanguíneos. Consegui me refugiar no carro e o animal ficou latindo contra mim, até que ela o segurou pelas orelhas, esfregando nariz contra focinho, e cochichou alguma coisa. Quando voltou ao carro, o cachorro subiu no seu colo e foi babando em mim até o chalé. A porta da frente, a dos fundos, as quatro janelas do andar térreo, estava tudo trancado, e o vira-lata rosnava cada vez que eu ameaçava forçar uma veneziana. Anoitecia, esfriava, já cogitávamos em dormir no carro, quando ela avistou um ponto de luz no meio do arvoredo quinhentos metros adiante. O cão nos precedeu rumo à casa do caseiro, uma edícula de alvenaria debaixo de uma árvore folhuda que ela chamou de salgueiro-da-babilônia. A porta estava aberta, e num ambiente úmido jazia o homem num colchão sobre o chão de cimento, uma lâmpada pendurada no teto e uma miríade de capas da revista Playboy à guisa de papel de parede. Usava um calção de futebol com uma jaqueta do Exército e dormia indiferente ao cachorro que o fuçava. Quando lhe dei boa-noite ele se levantou num salto, e seu braço direito ficou balançando à toa. Não havia braço dentro da sua manga comprida e as fartas marcas de varíola lhe davam um rosto sem contornos. Catou um molho de chaves em cima da geladeira, ao lado de uma garrafa e da estatueta de uma santa, e foi nos abrir a casa. Sem dizer palavra, esfregando os olhos, parecia contrariado, mas com um só braço era capaz de carregar quatro malas de uma vez até o quarto de casal no segundo andar. Tirante uma ou outra teia de aranha, o interior da casa estava em condições razoáveis. E ao estender os lençóis na nossa cama, minha amiga cantarolava o samba que me lembrou a nossa noite no bar da Lapa:

Ai, se eu tivesse autonomia
Se eu pudesse, gritaria
Não vou, não quero

Era grande a possibilidade de eu me entediar, mas ao nos conhecermos, quando deixei escapar que esboçava um livro de contos, ela disse que eu só tinha a ganhar num recanto ermo e bucólico, propício a atividades intelectuais. Nossa segunda noite tinha sido lá em casa, e ela não compreendia como eu era capaz de dormir e trabalhar no primeiro andar de um prédio de esquina, em cima de um bar com gente na calçada e no meio da rua, bebendo e brigando e gargalhando de madrugada, para não falar das buzinas e das motos com descarga livre. Agora, nem bem amanhece, pulo da cama incomodado com o silêncio do sítio. De cachecol e casaco de lã, saio na neblina cerrada que torna iguais todas as manhãs e busco o ribeirão no confim do terreno. Tateio o caminho com os pés até quase derrapar numa ribanceira, e ali me sento por um tempo indefinido. A neblina se dissipa vagarosamente de cima para baixo, mas ainda remanesce condensada sobre o ribeirão como algodão em chumaços. Habituo cegamente os ouvidos ao rumor das águas, o burburinho onde os seixos estreitam seu curso, a mansidão com que elas prosseguem sobre o leito de areia e o eco da cachoeira que deságua mais adiante. Sei de cabeça a localização das grandes pedras lisas naquele trecho do rio, ora pontudas, ora corcundas, ora em feitio de baleia, miniaturas das montanhas de Minas que em dias límpidos se divisam à distância. Quando a névoa restante começa a se abrir, como surpresa que se desembrulha, pode aparecer um sapo na pedra, uma flor de bougainville na correnteza, um cardume de lambaris. Também descem alguns dejetos, um ou outro saco plástico, até uma luva cirúrgica pesco um dia com a ponta de um bambu. Então dou instruções ao caseiro, que anda sempre por ali de bobeira com o cachorro: a patroa desperta por volta do meio-dia, e convém deixar o ribeirão limpo como as piscinas que ela frequenta no Rio de Janeiro. Quando ela surge, o cachorro se enrosca nas suas pernas até a beira da água, onde freia e fica de orelha em pé. Sem medo de água gelada, ela alcança a nado a outra margem do rio, mergulha nos poços nos vãos das pedras, pula de pedra em pedra e de quando em quando se vira para conferir se a estou olhando. Mira a última pedra no limite da queda-d'água, toma impulso, e nesse salto receio que tenha se excedido. Talvez tenha errado o passo, pois assenta mal o pé direito num declive da pedra, com o tronco muito vergado para a frente. Por alguns segundos oscila olhando o abismo, bracejando como quem rema para trás sofregamente, a perna esquerda erguida em diagonal. O caseiro faz o sinal da cruz e, para mim, que às vezes também creio em Deus, há sempre o dedo do diabo num corpo em desequilíbrio. Subitamente ela se apruma, porque deve ter praticado balé, e após um rodopio estaca sorrindo para o caseiro, que nunca há de ter visto ao vivo uma mulher daquelas em roupa de banho. Como se nada tivesse acontecido, ela me convida a caminhar nas pedras a montante do ribeirão. Segundo o caseiro, se de manhãzinha subíssemos contra a corrente, antes da noite chegaríamos até São José do Ribamonte. Ele enche a boca para falar dessa cidade, na certa pouco mais que uma vila, mas ela mete na cabeça que algum dia faremos a excursão, ida e volta, com pernoite para comer, trepar e dormir numa pousada. Não demoro a perceber que ela nem sempre leva adiante seus propósitos, como o de preparar cada dia um prato novo do livro de receitas que trouxe do Rio. Geralmente recorremos no almoço aos enlatados, e de noite sou eu quem costuma montar os sanduíches. Ela também se diz perita em churrascos, e num dia de sol glorioso, quem sabe um último lampejo do verão passado, descongela uma peça de picanha antes de se banhar no rio. À tarde pede ajuda ao caseiro para acender a lenha na churrasqueira do caramanchão e me faz trazer de dentro talheres, pratos e copos para três. Ao notar minha hesitação, se admira que eu esteja pouco à vontade para comer ao lado de um funcionário, como ela se refere ao caseiro. Eu só me pergunto se o próprio caseiro não se sentirá vexado ao se sentar conosco, e quando ela lhe serve um naco sangrento de picanha, por um tempo ele observa sem ação o garfo e a faca. Não sei se ela se esqueceu que lhe falta um braço, mas por fim ele agarra a carne com a mão esquerda e a mastiga de olhos baixos. Ela também come com a mão naturalmente, e depois de algumas cervejas já o dispensa de chamá-la de dona, já lhe pergunta se ele tem namorada, se nunca se casou, só falta querer saber da varíola e do braço perdido. Pergunta pelo proprietário do sítio, pensa em comprar o sítio, depois quer saber do seu salário, que considera uma exploração, e lhe promete pagar o dobro por fora enquanto estivermos aqui. A gordura amarela da sua picanha larga no chão para o cachorro.

Ela está na cama por cima de mim, com os olhos nos meus, e não pode ver o que entrevejo através da cortina de tule às suas costas: o vulto de um homem de jaqueta verde-oliva camuflado na folhagem do flamboyant. Não falo nada para não tolher os movimentos dela, mas por um tempo me ponho no lugar de um estranho na janela a espiar o dorso da minha mulher despida como eu a espiaria num espelho. Logo o vulto segue sua escalada de galho em galho, e quando ela desfalece ao meu lado, vou lá fora ter com o caseiro. Ele está falando sozinho, sentado no topo do telhado, e ao me ver desce pelo outro flamboyant nos fundos da casa. Traz um celular no bolso da jaqueta e parece nervoso quando o interpelo, pois desata a falar comendo as palavras, explicando que somente no telhado tem sinal de telefone para se comunicar com o primo. E toca a falar que seu primo, enfermeiro no posto de saúde de Ribamonte, vem lhe prometendo um braço mecânico há anos. Conseguiu agora uma prótese enviada do Rio, mas por engano chegou um braço esquerdo, que o caseiro quer usar assim mesmo. Daí a discussão com o primo, para quem não se pode encaixar um braço esquerdo na porra da clavícula direita, porque vai ficar com o cotovelo para dentro e a mão de costas. Enfim o caseiro se desculpa pelo palavrão e promete não mais trepar no flamboyant que dá para o quarto de casal, mas já pouco me importa a quem ele consagra suas punhetas canhotas, contanto que de maneira alguma jamais mencione o sinal de Wi-Fi para a patroa. Mal acabo de falar e não reconheço o tom imperativo da minha voz, assim como estranho minhas recentes inquietações com a minha companheira. Descubro então que me perturba a ideia de um dia vê-la encarapitada no telhado, falando por telefone com o mundo lá fora. Talvez seus amigos também tivessem se retirado para montanhas e praias distantes, e já de regresso ao Rio seguem a vida normalmente. Talvez o Rio esteja lindo, talvez as pessoas estejam esfuziantes, talvez seus colegas tenham retomado as gravações e as filmagens, talvez estejam montando o elenco de uma peça de teatro e reservem para ela um papel de destaque. Tem mais: acostumado a dormir sozinho há anos, ultimamente me pego na cama no meio da noite a buscá-la com a mão ou com a ponta do pé. Caso não a toque, me levanto, chamo por ela, desço a escada, rodo a casa, saio com uma lanterna e nunca deixo de iluminar o telhado; surpreendê-la ali no telefone seria quase um flagrante de adultério, que eu vingaria imediatamente se tivesse a quem telefonar. No mais das vezes, porém, a encontro a flanar no jardim ou a fumar um beque no caramanchão, e ela acha hilário eu querer saber o que está pensando. Também me acontece de achar que ela está com uma cara misteriosa, quando apenas repartiu os cabelos para o outro lado, mas me recuso a crer que a esta altura de uma vida livre e bem delineada eu vá me amarrar nessa dona. Ainda por cima ando tendo sonhos assustadores, e certa manhã me vem um mau presságio ao avistar no nevoeiro os urubus que sobrevoam o sítio e baixam no ribeirão. Sentado na ribanceira os vejo pousar nas árvores para observar as circunstâncias, antes de mergulharem na neblina opaca. Não tardam a emergir dali com fiapos de carne no bico, e quando a neblina desvanece, só resta encalhada nas pedras a carapaça de um tatu. Nesse dia ela não desceu ao ribeirão.

Com as geadas do inverno não me animo a sair de manhã cedo, exceto para eventualmente acordar o caseiro e lhe ordenar que desça ao vilarejo e compre provisões para mais duas ou três semanas. Após uma talagada para espantar o frio, ele parte seguido do cachorro e estimulado pela gorjeta prometida na condição de não se demorar lá embaixo de conversa fiada. Volta carregado de sacolas, meio trôpego, mas ainda a tempo de deixar a despensa bem fornida antes que a dona da casa desperte. Desse modo evito que ela se sinta tentada a descer de carro para fazer suas compras pessoalmente. Nesses armazéns do interior há sempre um aparelho de televisão ligado, e ela sem dúvida iria se deter para espiar as novidades, a música da moda, os bares da moda, a moda de verão na Europa onde adora passar as férias. Também pode ser que transmitam a reprise de uma novela antiga, onde ela apareça ainda menina, contracenando com um jovem ator com quem talvez tenha tido um caso. E terá saudades do ator, e sonhará com o ator, e ao entreabrir os olhos vai me ver sentado na cama ao seu lado e reparar na minha barba grisalha, minha barriga. Vai ter dó da minha letra miúda, dos meus olhos apertados, das minhas anotações literárias ainda na primeira página do caderno Moleskine, e lá se vão mais de três meses desde a nossa chegada. Não preciso consultar o relógio para o constatar, eu poderia medir o tempo pela barba que já me encobre o pescoço. A fim de não chamar a atenção dela para a nossa tardança, passo a aparar a barba com sutileza, coisa de meio centímetro de cada vez. E ao admirá-la apoiada na borda da banheira a se depilar diariamente, deduzo que ela tampouco está ansiosa por partir. É para nossa intimidade que ela deixa as pernas lisas, e em substituição aos banhos de rio, no fim da manhã ela sai de jeans e botas, determinada a percorrer as trilhas na mata virgem. Não estou equipado para essas marchas, é temporada de chuvas, imagino cobras e escorpiões do mato, mas como quem faz por merecer uma recompensa, sigo os passos largos dela até me faltar o fôlego e perdê-la de vista. Depois de me extraviar por veredas íngremes, dou numa clareira onde a encontro de cócoras diante do que a princípio tomo por covas rasas. Mas são canteiros do que em tempos foi uma horta, o que a enche de entusiasmo. Decide que hoje mesmo vai se dedicar à lavoura, pretende descer ao vilarejo para comprar mudas e sementes. Entretanto a chuva se intensificou, e rapidamente a faço ver que a estrada está virando um atoleiro. Convencida a delegar a tarefa ao caseiro, ela leva à boca o polegar e o indicador e solta aquele seu assobio que se deve ouvir até no vilarejo. Em meio minuto aparecem correndo o caseiro e o cachorro, porque seu assobio vale indistintamente para um e outro. A fim de fazer a lista de compras, ela se serve da primeira página do meu Moleskine, onde por cima das minhas anotações escreve o nome das sementes: alface, tomate, cebola, rabanete, cenoura, repolho, alecrim, orégano e manjericão. Pergunta se o caseiro entende sua letra, e ao vê-lo com a lista de cabeça para baixo, promete alfabetizá-lo por um método revolucionário que tem em mente.

Fiz mau juízo da minha mulher, ao supor que ela logo enjoaria da sua horta, ainda mais debaixo de chuva quase todo dia. Não só ela encarregou o caseiro de trazer quantidade de sacos de terra orgânica, como multiplicou os canteiros e diversificou seu cultivo. Além de legumes e hortaliças, ela agora se aplica na floricultura, e não vê a hora de germinarem as sementes de crisântemos que o caseiro lhe trouxe esta semana. Procuro ajudá-la afofando a terra, e quando estou para lhe apontar os flamboyants que começam a florescer ao lado da casa, avisto no céu um bando de urubus voando em círculos, mais numerosos que da última vez. Arredo o pé discretamente e chego ao ribeirão, transbordante e lamacento, onde as aves dão rasantes. O cão está paralisado, o caseiro está com tremedeira, há um cheiro podre no ar e agora vejo o corpo roxo de um homem de cabelos brancos descendo de borco na torrente, com uma camisola verde-clara e a bunda de fora. À espreita de um encalhe, os passarões pousam nas margens do rio e caminham desengonçados, com as enormes asas negras abertas, mas o corpo do velho se esquiva, resvalando no limo das pedras rio abaixo. No último obstáculo à vista, uma rocha em formato de botina, o velho atraca e se detém ao dispor dos urubus, que se aglomeram ao seu redor feito guarda-chuvas disputando espaço. Antes da primeira bicada, porém, graças a um empuxo mais forte das águas, ele se solta numa finta e acelera em direção à cachoeira, aonde os bichos se precipitam. Guardamos silêncio, eu, o caseiro, o cachorro, e olho para trás a fim de me assegurar que ela não presenciou a cena.

Vou procurá-la na horta, onde não está mas a pressinto, e ouço sua voz a me chamar numa elevação do terreno. Atrás de uma cortina de bambus ela me mostra sua descoberta, um galinheiro vazio com ninho, poleiro e uma cerca de tela reforçada. Para saborearmos em breve ovos caipiras, ou omeletes com ervas finas colhidas na horta, basta que o caseiro dê um pulo no vilarejo e compre um lote de galinhas poedeiras. Ela não perde tempo, e como ninguém atende a seus assobios, se dirige à edícula onde o caseiro está prostrado com o cachorro no colchão. Antes que a gente fale qualquer coisa, ele alega que pegou uma friagem e pede licença para tirar um dia de folga. Ela consente prontamente, como sempre, porque não leva jeito para patroa. Diz que nunca irá cobrá-lo pelos mimos e regalias que lhe proporciona, pela grama que ele não corta, pelo portão que não conserta, pelas teias de aranha que abundam na casa ou pelas garrafas que ele surrupia da nossa despensa. Sua única preocupação é vê-lo em tal estado, malnutrido e cheirando a álcool ao meio-dia; já vinha mesmo pensando em reformar aquele casebre infecto e contratar para ele um plano de saúde. Com a voz engorolada, o caseiro pega a falar que os hospitais estão uma desgraceira, com falta de vagas e de esparadrapo, entre outras mazelas reveladas pelo primo que dá plantão no posto médico de São José do Ribamonte. Ela não compreende que primo é esse que conversa com ele no telhado, que guardou o braço dele no almoxarifado, que lhe contou que no cemitério de Ribamonte não há mais covas para enterrar os mortos. Pede que o caseiro pare um instante quieto, e depois de relutar um pouco, pousa na testa bexiguenta dele a sua mão branquinha, de dedos finos e unhas esmaltadas. Detém-se ali um minuto, em seguida leva a mão ao pescoço dele, cuja pele é ainda mais encaroçada, como que feita de pipocas. Ao desviar a vista levo um susto, tenho de olhar em dois tempos para acreditar no que acabo de ver: uma ereção dentro do calção do caseiro. Distraída, ela diz que ele está com uma febrícula, e me pede para buscar uma dipirona na nécessaire que deve estar na bancada da pia no nosso banheiro. Ao sair me surpreendo com o sol, que afinal deu as caras, e continuo a rir por dentro da sem-vergonhice do caseiro. Aperto o passo, chego em casa bastante suado e subo a escada de dois em dois degraus. O zíper da nécessaire emperra, sou obrigado a abri-la na marra, e para alcançar a cartela de dipirona afasto um punhado de presilhas, cotonetes, tubos de creme, o lubrificante íntimo, o vibrador em forma de batom e outros trecos que largo na pia de qualquer jeito. Eu, que passei uma vida sem saber direito o que é ciúme, agora me pergunto que aborrecimento é esse que me dá quando penso na minha mulher sozinha com um homem de pau duro. Chego quase correndo à edícula, onde a vejo encantada com a estatueta de plástico do caseiro, uma Nossa Senhora negra de manto azul, de um palmo de altura, que me apresenta como a padroeira do Brasil. Enquanto isso o caseiro se põe de pé, escorado nas mulheres peladas nas paredes, ainda com aquele volume indecente na virilha. Está a postos para comprar as galinhas da patroa, que lhe estende um maço de dinheiro e um copo de água para engolir o remédio. Sai andando devagar, parando a cada dez metros para chamar o cachorro, que parece acompanhá-lo a contragosto.

Tão logo nos vemos sozinhos no sítio, ela sai andando para casa na minha frente. E quando penso que vamos nos divertir na cama, ela veste o maiô com a intenção de aproveitar o sol e tomar banho de rio. É sabido que as águas de um rio nunca são as mesmas, mas aos meus olhos a imagem do velho não deixará tão cedo de passar e passar e passar boiando por ali. Não quero vê-la naquelas águas, mas me falta um argumento para a dissuadir sem mencionar o defunto. Ainda bem que ela recua por conta própria ao ver a cor pardacenta do rio, resultado das chuvas do último mês. Não duvido, porém, que outra repulsa inconsciente a tenha detido, pois nos seus braços e nas suas coxas, que ela não depila, vejo uma penugem clara se arrepiar. Ela é de arrepio fácil, igual às plantas sensitivas que um dia me mostrou, os não-me-toques que ao mais leve toque se contraem. Se calhar vai se arrepiar novamente agora que sem aviso a abraço por trás e mordisco seu pescoço, ao vê-la debruçada sobre a horta. Só que desta feita, em vez de enlanguescer, ela me empurra com força e me derruba de costas sobre o canteiro de hortênsias. Deita-se em cima de mim e ali namoramos não sei dizer de quantas maneiras nem por quanto tempo. Sei que cai o sol quando avisto o cão com a língua de fora a cruzar o portão sem o seu dono. Não falo nada para não tolher o deleitamento dela, que não vê o cão se achegando e talvez tenha confundido o ofego dele com o meu. Quando ele lambe sua orelha ela tem novo arrepio, depois se recompõe, ajeita o maiô, se levanta e assobia para o caseiro. Seguimos para a edícula, o cão se arrastando atrás, e está evidente que o caseiro não voltou do vilarejo. Terá ficado na venda enchendo a cara, aposto, terá se esquecido das galinhas e dado um pega no cachorro. Terá seguido a pé até Santa Gláfira, porque no armazém de Moisés não vendem galináceos. Terá deixado para voltar amanhã, porque já é noite escura, ou vai ver que encontrou um emprego melhor. Ao entrarmos em casa, ela deixa o cão uivando do lado de fora e já parece esquecida do caseiro e das galinhas. Cantarola o nosso samba da Lapa, abre uma garrafa de vodca e me pede para preparar dois mistos-quentes. Subo com a bebida para o quarto ao passo que ela leva para a cama seu livro de receitas. Planeja um menu vegetariano para os próximos dias e concorda comigo quando lhe digo que não precisamos de empregados, ou funcionários, para sermos felizes no sítio. Lembro dela a dizer no nosso primeiro encontro que era desapegada de bens materiais, que não queria saber das empresas do pai nem do seu nome de família tradicional. Naquela noite disse também que eu não tinha nada a perder, mas não podíamos então imaginar que nossas vidas se entrelaçariam de tal maneira. Depois de virar mais um copo de vodca, fecho os olhos a fim de melhor reter meu bem-estar, e tomo coragem para lhe confessar que nunca me senti tão amado, nem amei de verdade uma mulher, a ponto de querer casar e ter filhos. Acho que tenho lágrimas quando olho para ela, que já se voltou para o outro lado, semiadormecida. Passo por cima dela para apagar seu abajur, dou-lhe um beijo nos cabelos e não tardo a pegar no sono também. Acordo no escuro com a boca seca, abro os braços na cama, escancaro as pernas e não a alcanço. Desço a escada, saio ao jardim com a lanterna e vou direto aos fundos da casa, onde o carro dela não está.

Saudades dela não tenho, nem lembranças pungentes, nada. Quando a relembro, penso num tempo meio que girando em falso, meio que transcorrendo sempre no presente, meio que sendo um gerúndio, por assim dizer. Melhor dizendo, penso nela como um episódio estanque, sem antes nem depois, já destacado de mim. Para mim soaria inverossímil a nossa relação, se eu mesmo não a tivesse registrado neste conto, que talvez reescreva amanhã na terceira pessoa. No dia em que acordei abandonado, ainda acreditei que ela fosse voltar satisfeita da vida, com o porta-malas cheio de galinhas. Como ela não tinha levado seus pertences, esperei-a o dia inteiro, e de noite subi ao telhado com meu celular. Liguei para o número dela, acho que ouvi sua risada antes de cair a linha, depois não liguei mais. Na outra manhã abri suas gavetas, achando que ia cheirar as roupas dela feito um tarado, mas elas não tinham cheiro e me davam a impressão de ter encolhido. Juntei peça por peça, mais suas malas enormes de couro mofado, joguei tudo no ribeirão, cuidando que nada se agarrasse às pedras. Na horta, arranquei tubérculos da terra, pisoteei as flores, só não fiz maior estrago porque o cão deu de me estranhar. Daí vi um ponto de luz na edícula, onde topei com um sujeito de jaleco e máscara de enfermagem, o famoso primo do caseiro. Ele vinha de Ribamonte em lombo de mula somente para buscar Nossa Senhora Aparecida, a santa negra de devoção do caseiro. Perguntei se o caseiro estava no posto de saúde, se ia demorar, se ia implantar o braço, mas ele me respondeu com um gesto negativo do polegar. Fui me deixando ficar no sítio mais uns dias, primeiro porque um táxi não subiria ali, segundo porque estava com um certo medo de voltar para a cidade, mas principalmente porque a minha escrita agora fluía sem percalços, como a água do ribeirão em leito de areia. Até que numa manhã nevoenta apareceu um carro com um casal usando máscaras pretas. A moça me confundiu com um caseiro e tomando distância me pediu que desembarcasse a bagagem. Carreguei quatro malas nas costas, abri todas as janelas para arejar a casa e foi quando mais uma vez vi os urubus em sobrevoo. Larguei tudo e desci ao ribeirão, que estava malcheiroso e encoberto até a linha da água. Escutei o burburinho das águas entre os seixos, e rente à margem entrevi na bruma um objeto de plástico a flutuar, semelhante à estatueta da santa negra. Os urubus, após breve escala nos galhos de uma árvore doente, começaram a submergir na neblina. O cão do caseiro surgiu desembestado, passou por mim latindo e mergulhou nas águas com estrondo. Quando o tempo ameaçou desanuviar, subi a ribanceira sem querer olhar mais nada. Cruzei com os novos inquilinos do Sítio Madrigal, que desciam radiantes para conhecer o ribeirão, e sem demora tomei a estrada rumo ao vilarejo. Daí a pouco vi o carro deles descendo a toda, e me quedei à beira do precipício para não ser atropelado. Fiz sinal pedindo carona, mas eles me deixaram na poeira.

Anos de chumbo

Em 9 de maio de 1971 a cavalaria do exército confederado atravessou o rio Tennessee sob o comando do general James Stuart, que ato contínuo apontou seus canhões contra o forte Anderson. Chamei o Luiz Haroldo para assistir ao ataque final, mas ele estava de castigo e não pôde vir. Quando veio, dias depois, a investida da infantaria era na Bélgica e durou menos de quinze minutos. Tive de acelerar o avanço das tropas alemãs, porque o Luiz Haroldo estava impaciente, ultimamente só queria saber de futebol. De qualquer modo ele não me faria tanta falta, porque com o tempo aprendi a guerrear sozinho. No começo ele trazia suas Forças Armadas para passarmos tardes inteiras no meu quarto, só não ficava para o jantar porque achava a comida da minha mãe muito ruim. Quando ela estava para servir a mesa ele recolhia as brigadas num estojo antigo de madeira, não sem antes cheirar e limpar com flanela as peças que eu tinha manejado. Uma vez, no meio de uma fuzilaria, escondi debaixo do travesseiro um tenente da Legião Estrangeira para passar a noite comigo. Como o Luiz Haroldo não deu por falta do tenente, no dia seguinte roubei um general, depois um centurião, depois um jipe, e eu já possuía quase um pelotão quando minha mãe me flagrou invadindo a Normandia debaixo do lençol. Talvez por estar num mau dia, ela foi me delatar ao meu pai, logo ela que em brigas de casal volta e meia o chamava de otário; meu pai se gabava de, em trinta anos de carreira militar, nunca ter se locupletado, nem um cigarro de um subalterno jamais filou. Por isso ele me arrancou da cama, me xingou de escroque e ladravaz, me deu quatro tapas na cara e dois murros na boca, me passou uma rasteira na perna boa e me fez cair com o queixo na quina da mesa, fazendo jorrar sangue e me deixando uma cicatriz. Não sei se por sugestão da minha mãe, ou por sincero arrependimento, no dia seguinte ele me deu de presente uma caixa de cartolina com seis soldados. Mas eram uns bonecos do Exército brasileiro, muito mequetrefes, chumbados num pedestal de madeira, um deles tocando corneta, outro batendo continência.

Pouco depois desse incidente as visitas do Luiz Haroldo foram se espaçando. Cansei de lhe telefonar para vir em casa, a poucas quadras da sua, mas ele dizia que a distância era a mesma. Queria com isso dizer que, em vez de ele caminhar meia hora carregando um estojo pesado, fazia mais sentido eu ir ao seu encontro de mãos abanando. O Luiz Haroldo às vezes se fazia de bobo, sabia muito bem que minha mãe não me deixava atravessar a rua, temendo que eu morresse atropelado com minhas muletas. Minha mãe tinha medo de tudo; instalou em casa uma porta blindada, além de grades nas janelas como as de uma cadeia e eletrificação no muro que nem o de Berlim. Em frente de casa me fazia passar vergonha, me dava a mão sem necessidade para eu subir e descer do ônibus escolar. Só permitia que eu saísse sozinho para dar a volta no quarteirão, e assim mesmo me seguia alguns passos atrás. Exceto pela parada na sorveteria da esquina, não me agradavam esses passeios, as outras crianças faziam comentários. Para ser chamado de manquitó, eu preferia ficar em casa e me distrair com palitos de fósforo que simulavam soldados de chumbo. Minha mãe tinha um pouco de pena de mim, e um dia no clube contou ao pai do Luiz Haroldo da minha paixão por soldados de chumbo, na esperança de que ele me emprestasse a coleção que o filho abandonara no fundo do armário. Mas o major fez mais: numa de suas viagens internacionais comprou para mim um jogo com duzentas peças de estanho, mais modernas e realistas que as de chumbo: em 21 de julho de 1970, ao pé das pirâmides, as tropas de Napoleão desbarataram o exército de mamelucos, derrubando todos os cavalos e avançando rumo ao Cairo.

Os pais do Luiz Haroldo e os meus, que se viam esporadicamente no Clube Militar, ficaram mais próximos por ocasião da minha poliomielite. A mãe dele, em especial, chegava em nossa casa de manhã cedo, me trazia umas balas de hortelã e passava os dias sentada a cochichar com minha mãe num canto do quarto. O Luiz Haroldo vinha depois das aulas, se sentava na minha cama e com um pouco de nojo roçava o dedo na minha perna paralítica. Nos fins de semana o pai dele aparecia para um uísque com meu pai e os dois casais ficavam até tarde jogando canastra. Posso dizer que, mesmo de cama, foi esse o período mais feliz da minha infância, por causa de todo o movimento lá em casa e sobretudo porque foi então que o Luiz Haroldo me apresentou seus soldados. Também me enrabichei pela fisioterapeuta, que me lembrava a miniatura da enfermeira da Cruz Vermelha, e não tardei a dar meus primeiros passos no andador até me adaptar à muleta. Passada a convalescença, foi mais penoso me adaptar ao silêncio na falta dos médicos, da fisioterapeuta e mesmo da mãe do Luiz Haroldo, que parou de nos visitar, embora o marido não dispensasse o uísque com meu pai. Mais tarde, ele passou a vir mesmo nas noites em que meu pai dava plantão no quartel, e antes de dormir eu vinha cumprimentar os dois, tentando me enxerir um pouco nos assuntos deles. Assim eu soube que era ele, o major, quem delegava ao capitão, meu pai, missões especiais que deveriam nos orgulhar, à minha mãe e a mim. Era uma tarefa dura e perigosa, porque ele enfrentava um inimigo traiçoeiro, e aqui não estávamos falando de soldados de chumbo. Pelo que pude depreender, meu pai lidava com prisioneiros de guerra, criminosos que tinham sangue de verdade nas mãos. Tamanha tensão devia mexer com seus nervos, pois ele voltava para casa com a mandíbula travada e sem mais nem menos pegava a bater na minha mãe. Acho que batia com mais força por lhe dar razão, pois assumia aos berros ser de fato um grande otário. Nesses rompantes, também me parecia que ele tinha alguma bronca do pai do Luiz Haroldo, seu colega de academia e de caserna, que era condecorado sem disparar um tiro, era destacado para missões secretas no exterior e em breve seria promovido a tenente-coronel, enquanto ele marcava passo na carreira, fazendo o serviço sujo nos porões. Quando o major chegava para o uísque, porém, ele lhe trazia o balde de gelo, lhe oferecia a poltrona de veludo e um pufe para esticar as pernas.

É possível que tais maledicências tenham chegado aos ouvidos do major. Sem explicações ele deixou de vir tomar seu uísque com meu pai, o que não o impedia de ver minha mãe toda semana. O Luiz Haroldo deve ter precavido o pai contra a comida da casa, pois nessas visitas ele mandava vir jantares e vinhos de bons restaurantes. Eu também me servia dessas iguarias, com exceção do vinho e dos queijos mofados, e ficava por ali até minha mãe me mandar para a cama. Sempre peguei no sono com facilidade, mas numa madrugada dessas acordei com câimbras na perna atrofiada e fui pedir uma massagem à minha mãe. Diante da porta dela, parei a tempo; a voz sussurrada que vinha lá de dentro era do major e a respiração era da minha mãe. Havia umas pausas, aqui e ali uma risada contida, depois novamente os sussurros do major com menções elogiosas ao meu pai: o senso do dever, a disciplina, o respeito à hierarquia, o patriotismo, a honestidade a toda prova. Depois de novas risadinhas dos dois, o major citava o prestígio que meu pai gozava entre os subordinados. A todo o oficialato ele se impunha pelo exemplo, como ao sacrificar suas horas de repouso e lazer no recesso do lar para se ocupar dos seus prisioneiros noite adentro. O major explicava à minha mãe que esses delinquentes, tanto homens quanto mulheres, ficavam horas pendurados numa barra de ferro, mais ou menos como frangos no espeto. Daí meu pai ensinava à sua equipe como introduzir adequadamente objetos naquelas criaturas. Ele enfiava objetos no ânus e na vagina dos prisioneiros, e aquelas palavras eu não conhecia, mas adivinhava, se não pelo sentido, pela sonoridade: não podia ser mais feminina a palavra vagina, enquanto ânus soava a algo mais soturno. Em seguida o major e minha mãe foram se aquietando, e eu escutava apenas o arfar dos dois, depois a voz gemente da minha mãe a falar ânus, vagina, ânus, vagina. Voltei ao meu quarto, porque já estava bom das câimbras, mas senti que naquela noite não ia mais dormir: em 5 de agosto de 1972, na Namíbia, o general alemão Lothar von Trotha dizimou os negros hererós na Batalha de Waterberg.

Após uma batalha cruenta, nem sempre eu tinha paciência para cuidar dos feridos, que dirá dos mortos espalhados debaixo da minha cama. Só naquele fim de tarde me dei conta dos ossos do ofício de um verdadeiro comandante como o meu pai, que chegou em casa inconformado e se fechou com minha mãe no quarto. Pensei que ele fosse bater nela, mas não, vinha se queixar da traição do seu melhor amigo. Parece que o major havia proposto ao Alto-Comando uma série de medidas que reduziriam bastante o número de prisioneiros sob a guarda do meu pai. Tratava-se de um plano ultraconfidencial, mas o meu pai não fazia questão de moderar o tom de voz. Ele jamais suspeitaria que eu fosse dado à espionagem, nem que seus assuntos fossem interessantes ou inteligíveis para uma criança. Estava enganado, mas na verdade, como eu não dava de comer aos meus soldados, nunca parei para pensar em que medida as diligências do meu pai oneravam o orçamento do Estado. Agora, pelo que entendi, o major defendia uma drástica redução das despesas com alimentação, vestuário e atendimento médico dos detentos. Para tanto, meu pai deveria se ater aos interrogatórios efetivamente úteis aos serviços de inteligência. Não havia por que gastar tempo e recursos com prisioneiros inflexíveis, como que feitos de estanho, nem com aqueles que já tinham dado o que tinham para dar, os que enlouqueceram, os que viraram zumbis.

Eram todos velhos conhecidos do meu pai, que tinha como que se afeiçoado ao sofrimento deles. Mas caso a Aeronáutica fechasse o acordo, aquelas criaturas seriam jogadas de avião em alto-mar, e essa parte não sei se entendi bem. Minha mãe deu um suspiro e procurou consolar o marido, lembrando-o de quanto ele era admirado no oficialato pelo senso do dever, a disciplina, o respeito à hierarquia, o patriotismo, a honestidade a toda prova.

Em 30 de abril de 1973 a expedição do general Custer tomou de assalto a aldeia dos Sioux, e a fim de imitar as cabanas dos índios montei vários cones com guardanapos de papel. Risquei uns fósforos, e o fogo nas cabanas cresceu mais do que eu previa, criando um efeito formidável. Só que as chamas pegaram numa franja da colcha e começaram a se alastrar, me obrigando a buscar um cobertor no armário para abafar o fogaréu. O cobertor também se inflamou, meu quarto se encheu de fumaça e ainda bem que meus pais tinham adormecido, senão eu ia apanhar na certa. Passei correndo pela sala, abri a porta blindada da rua e não sei o que tinha na cabeça quando a tranquei por fora. Pensei em ir à casa do Luiz Haroldo, mas já estava escuro, o trânsito era intenso e tive medo de atravessar a rua. Fui à sorveteria, e chupando um picolé de limão virei à esquerda, e de novo à esquerda, de novo e de novo, e quando completei a volta no quarteirão, minha casa inteira pegava fogo. As labaredas lambiam as cortinas, e contra o fundo flamejante da sala de visitas julgo ter visto a silhueta dos meus pais agarrados nas grades das janelas. Ainda ouvi a sirene dos bombeiros, que ficaram presos no trânsito e chegaram tarde demais.

Sobre o autor

Francisco Buarque de Hollanda nasceu no Rio de Janeiro, em 19 de junho de 1944. Dois anos depois, mudou-se com os pais, o historiador e sociólogo Sérgio Buarque de Hollanda e Maria Amélia Cesário Alvim, e os irmãos para São Paulo, onde o pai passou a atuar como diretor do Museu do Ipiranga. Em 1953, Chico e a família se mudam novamente, dessa vez para a Itália, onde moram por dois anos.

No final da década de 1950, influenciado pelo lançamento do disco *Chega de saudade*, de João Gilberto, o jovem Chico começa a compor e a tocar violão. Para além da música, ele se dedica à literatura: aos dezessete anos publica suas primeiras crônicas no jornal da escola, o Colégio Santa Cruz. Em 1963, ingressa na Faculdade de Arquitetura e Urbanismo da Universidade de São Paulo (FAU-USP), mas abandona o curso três anos depois para se dedicar à música. Aos vinte anos, em 1964, sobe a um palco pela primeira vez, para apresentar "Tem mais samba", música feita sob encomenda para o musical *Balanço de Orfeu*.

Compositor, cantor e ficcionista, Chico Buarque é autor das peças *Roda viva* (1968), *Calabar*, escrita em parceria com Ruy Guerra (1973), *Gota d'água*, com Paulo Pontes (1975), e *Ópera do malandro* (1979). Sua estreia na literatura foi com a novela *Fazenda Modelo* (1974), seguida do livro infantil *Chapeuzinho Amarelo* (1979). Ao publicar *Estorvo* (1991), seu primeiro romance, Chico se consagrou como um dos grandes prosadores brasileiros. Dele, além de *Estorvo*, a Companhia das Letras lançou *Benjamim* (1995), *Budapeste* (2003), *Leite derramado* (2009), *O irmão alemão* (2014) e *Essa gente* (2019). Em 2019, Chico Buarque venceu o prêmio Camões pelo conjunto da obra.

Grafia atualizada segundo o Acordo Ortográfico da Língua Portuguesa de 1990, que entrou em vigor no Brasil em 2009.

CAPA E PROJETO GRÁFICO Raul Loureiro
IMAGEM DE CAPA E MIOLO *Sem título*, de Solange Pessoa, 2008. Óleo sobre tela, 160 × 160 cm. Cortesia da artista e Mendes Wood DM São Paulo, Bruxelas, Nova York. Reprodução de Bruno Leão — EstudioEmObra
PREPARAÇÃO Márcia Copola
REVISÃO Huendel Viana e Fernanda França

Os personagens e as situações desta obra são reais apenas no universo da ficção; não se referem a pessoas e fatos concretos, e não emitem opinião sobre eles.

Dados Internacionais de Catalogação na Publicação (CIP)
Câmara Brasileira do Livro, SP, Brasil

Buarque, Chico
Anos de chumbo : E outros contos / Chico Buarque
— 1ª ed. — São Paulo : Companhia das Letras, 2021.

ISBN 978-65-5921-307-8

1. Contos brasileiros I. Título

21-79379 CDD-B869.93

Índice para catálogo sistemático:
1. Contos : Literatura brasileira B869.93

Eliete Marques da Silva – Bibliotecária – CRB-8/9380

EDITORA SCHWARCZ S.A.
Rua Bandeira Paulista, 702, cj. 32
04532-002 — São Paulo — SP
Telefone: (11) 3707-3500
www.companhiadasletras.com.br
www.blogdacompanhia.com.br
facebook.com/companhiadasletras
instagram.com/companhiadasletras
twitter.com/cialetras

Esta obra foi composta em Kepler por
Raul Loureiro e impressa em ofsete
pela Geográfica sobre papel Pólen Bold
da Suzano S.A. para a Editora Schwarcz
em maio de 2023

A marca FSC® é a garantia de que a madeira utilizada na fabricação do papel deste livro provém de florestas que foram gerenciadas de maneira ambientalmente correta, socialmente justa e economicamente viável, além de outras fontes de origem controlada.